ABC
FLEURUS

Pasqual Romano

LE LIVRE
de la
MAGIE

A... BRA CADABRA

Aux milliers d'enfants que je croise lors de mes spectacles et qui,
avec leurs yeux pleins de rêves, me donnent l'inspiration.

EDITIONS
FLEURUS

Éditions Fleurus, 15-27 rue Moussorgski, 75018 Paris

Sommaire

TOURS DE CARTES

MAGIE RAPPROCHÉE

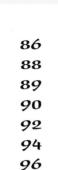

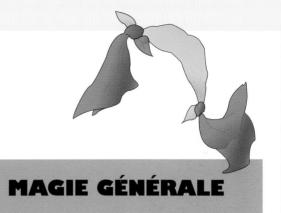

MAGIE GÉNÉRALE

MAGIE DU PAPIER

DÉFIS MAGIQUES

GRANDES ILLUSIONS

Introduction

Ce livre propose aux enfants à partir de 6 ans, plus de 100 tours de magie à réaliser facilement en famille ou entre amis.

Il est divisé en 6 chapitres : tours de cartes, magie rapprochée, magie du papier, magie générale, défis magiques et grandes illusions. Chaque chapitre est identifiable par une couleur.

Quelques tours nécessitent l'utilisation d'accessoires qui sont réalisables à partir de matériaux simples : papier, carton d'emballage, gommettes, etc.
Sur chaque page, le matériel utilisé est présenté dans un encadré de la couleur du chapitre : ainsi, il est facilement repérable.
La réalisation de certains accessoires nécessite l'utilisation d'un cutter ou même d'une perceuse. Dans ces cas, l'intervention d'un adulte est requise.

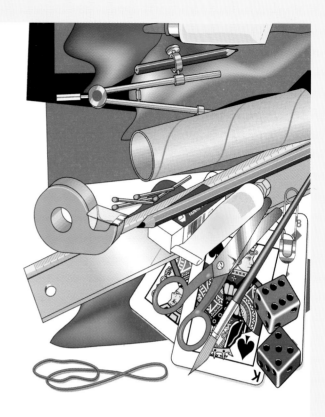

Les niveaux de difficulté et de durée dépendent de la maturité et de la dextérité de l'enfant.

Les repères

Sur chaque page, le nombre minimum de spectateurs nécessaires, le niveau de difficulté du tour et la durée de sa préparation sont représentés par un, deux ou trois pictogrammes.

TRÈS FACILE

FACILE

ÇA SE COMPLIQUE

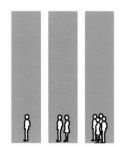

1 SPECTATEUR

2 SPECTATEURS

3 SPECTATEURS OU PLUS

MOINS D'1/4 D'HEURE

1/4 D'HEURE À 1/2 HEURE

PLUS D'1/2 HEURE

Histoire de la magie

À quand remonte l'histoire de la magie ? À vrai dire, personne ne le sait vraiment ! Mais l'art de l'illusion ne date pas d'hier : le premier document sur le sujet est vieux de plus de... 4000 ans, et c'est un papyrus égyptien ! Il évoque un grand magicien qui décapita deux volatiles puis leur rendit leur tête. En Chine aussi on pratiquait la magie et, depuis des siècles, elle n'a cessé de s'y développer.

Sorcier ou magicien ?

En Europe, les magiciens n'ont pas toujours été très bien vus : au Moyen Âge, on les prenait pour des sorciers ! Pourtant, leurs spectacles étaient populaires. Les magiciens se produisaient dans les tavernes et sur les places des marchés... au risque d'être brûlés sur un grand bûcher.

Heureusement, l'art de la magie a survécu à cette époque sombre et au XVIIIe siècle, les illusionnistes étaient respectés. Le plus célèbre reste Giuseppe Pinetti, qui se produisait dans toutes les Cours d'Europe. Mais ces magiciens-là étaient surtout chimistes et physiciens. Leurs spectacles impressionnaient le public qui ignorait les progrès de la science.

Les débuts de la magie moderne

C'est au XIXe siècle que l'art de la magie se développe réellement. Le Français Buatier de Kolta (1847-1903), par exemple, faisait grossir un petit dé jusqu'à ce qu'il devienne énorme et que sa femme en sorte sous les yeux ébahis du public ! L'un des grands magiciens qui marquèrent ce siècle s'appelait Robert-Houdin (1805-1871), un horloger qui devint tardivement magicien. Ce qui ne l'empêcha pas d'inventer des tours incroyables, comme celui du carton à dessin tout plat dont il faisait sortir des fleurs, des foulards, et enfin son fils. Qui n'a jamais rêvé d'avoir un papa magicien pour être son complice et léviter sur un balai comme le fils du grand Robert-Houdin ?

Mais d'autres tours aussi fabuleux ont été inventés au cours du XXᵉ siècle. En 1921, l'Anglais Selbit mit au point un numéro fameux, le tour de « La Femme sciée », Nelson Downs inventa un spectaculaire numéro silencieux avec des pièces de monnaie...

Et puis vint la télévision, et de nombreux magiciens devinrent célèbres grâce à leurs « shows » télévisés. De nos jours, tout le monde connaît ainsi David Copperfield (né en 1956), le spécialiste des grandes illusions : il est le seul à avoir fait disparaître la statue de la Liberté sans y toucher. Comment a-t-il fait ? Mystère...

Un magicien n'est pas un charlatan

Les techniques de magie sont devenues de plus en plus complexes au cours de l'histoire, si bien que certains ont prétendu posséder des pouvoirs surnaturels au lieu de reconnaître qu'ils avaient « un truc »... Et cela a mis les magiciens en colère : Houdini a mené ainsi une campagne acharnée contre les faux médiums, et grâce à ses connaissances en prestidigitation, il a révélé bien des supercheries.

Ces grands magiciens (et bien d'autres encore) ont monté des spectacles fabuleux, mais ils ont tous débuté par les tours les plus simples. Alors... à vos baguettes !

La magie aujourd'hui

Au XXᵉ siècle, Harry Houdini (1874-1926), un Américain d'origine hongroise, devint célèbre pour ses tours d'évasion spectaculaires... il faut tout de même être très fort pour s'échapper de la prison fédérale de Washington ! Son tour le plus célèbre consistait à plonger fers aux pieds dans un réservoir plein d'eau, cadenassé, et à en ressortir quelques minutes plus tard, sans dommages.

Décor et ambiance

La magie nécessite une certaine mise en scène ! Mais pour organiser un véritable spectacle dans son salon, inutile de déménager tous les meubles ! Le plus simple est de jouer sur les éclairages. Les accessoires ont aussi leur importance : murs décorés, petites tables et nappes : le décor est planté ! Il ne reste qu'à choisir son style... et à répéter longuement.

Les murs

Matériel

papiers de couleur, crayon, ciseaux, gomme adhésive, patrons pages 186-187.

1 Reporter le patron de l'étoile sur des papiers de différentes couleurs. Découper.

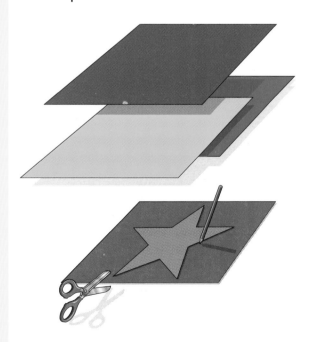

2 Coller les étoiles sur les murs avec de la gomme adhésive.

On peut aussi décorer les murs avec des ballons de baudruche gonflés...

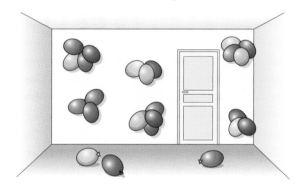

...ou bien installer un mur de cartons recouverts de papiers de couleur. Une fois repliés, les cartons se rangent facilement !

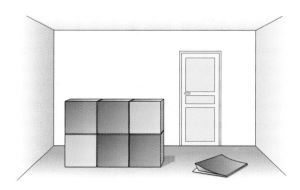

Les meubles

Deux tables suffisent pour meubler la scène : un guéridon ou un tabouret haut pour les tours de magie rapprochée et une table dans le fond du décor pour poser les différents accessoires.

On peut les recouvrir d'une nappe, mais le tissu ne doit pas tomber jusqu'au niveau du sol. Le public croirait que la clef du mystère est cachée sous la table !

L'éclairage

Pour plonger une partie de la pièce dans la pénombre, il suffit de disposer deux ou trois lampes d'appoint qui éclaireront uniquement la « scène ». Veiller cependant à les disposer de façon à bien éclairer le magicien et sa table... sans quoi les spectateurs risqueraient de perdre une partie du spectacle et ils se méfieraient. Or, c'est bien connu, un magicien n'a rien à cacher !

La musique

Certains magiciens diffusent de la musique pendant leurs tours afin de les rythmer. Mais si l'on choisit un fond musical, il est préférable de ne pas parler ! Dans ce cas, impossible de détourner l'attention du public avec une plaisanterie... le tour doit donc être parfaitement exécuté. Minuter chaque tour pour qu'à chacun corresponde un morceau. Enregistrer ces morceaux sur une cassette en ménageant des pauses pour les applaudissements et les brefs préparatifs entre chaque tour.

Chacun son style

Chaque magicien possède un style qui reflète sa personnalité.

Si l'on est doué pour faire rire, il faut en profiter : une ou deux plaisanteries, des mimiques comiques, et le public est conquis. Mais attention, il ne faut pas faire passer la magie au second plan !

Si l'on se trompe dès que l'on tente de raconter une histoire drôle, mieux vaut miser sur le mystère... mais pas de demi-mesure : il faut garder son sérieux tout au long du spectacle et rester toujours bien concentré.

Quel que soit son style, un bon magicien doit charmer son public. D'où l'importance du décor, qui crée une atmosphère de mystère ou de fête. Enfin, il existe une règle d'or à ne jamais oublier : la clef d'un spectacle réussi, c'est le plaisir que le magicien y prend. Alors... Amusez-vous !

Conseils pratiques

Le décor est planté, le costume repassé : le spectacle peut commencer... à condition d'avoir bien répété auparavant ! Pour éviter les catastrophes et maintenir le public en haleine, il faut respecter quelques consignes essentielles. On ne s'improvise pas magicien au moment de monter sur scène ! Comment s'adresser au public, comment le faire participer, cela s'apprend. Et même si rien ne vaut l'expérience, voici quelques conseils qui s'avéreront précieux avant de plonger la salle dans la pénombre.

Répéter

Avant de se lancer dans un numéro, il faut le connaître sur le bout des doigts. Pour être sûr du résultat, rien ne vaut quelques bonnes répétitions devant un miroir. Si l'on s'entraîne régulièrement à manier les accessoires, les gestes deviennent vite familiers. Le but est qu'ils deviennent automatiques. Le mieux est de répéter en costume de scène pour s'y sentir à l'aise le jour du spectacle.

Pas de longueurs

Chaque tour doit être court, afin de ne pas lasser le public. Gare aux numéros interminables... les spectateurs dormiront sur leur siège lorsqu'un objet sortira du chapeau !

Le rythme

Pour conserver l'attention du public tout au long du spectacle, il faut éviter la monotonie.

D'abord en étant expressif : si le magicien reste sans réaction, le public aussi ! On peut donc mimer la surprise ou l'inquiétude pour convaincre les spectateurs.

Ensuite, il ne faut pas hésiter à faire des gestes pour appuyer ses paroles. La gestuelle est encore plus importante si l'on choisit de diffuser de la musique au lieu de parler. On communique alors avec le public par gestes.

Mais, quoi que l'on fasse, l'important est de rester toujours naturel, surtout si l'assemblée est peu nombreuse... car l'une des qualités d'un magicien, c'est de savoir s'adapter à son public.

La diction

Il est très important de se faire entendre du public quand on s'adresse à lui. Pour cela, il faut procéder comme au théâtre : un mouvement, une parole, mais jamais les deux en même temps... car, les spectateurs risqueraient de ne rien comprendre !

Parler distinctement et lentement, sans noyer l'auditoire sous un flot de paroles. Sous l'effet du trac, on risque en effet de raconter n'importe quoi et de lasser le public.

Les regards

Le magicien débutant est souvent intimidé lorsqu'il se produit pour la première fois en public. Un bon moyen d'éviter le trac consiste à regarder les spectateurs dans les yeux. Cela permet de nouer une complicité avec le public qui sera plus indulgent en cas d'échec... Même les magiciens célèbres sont susceptibles de rater un tour ! Alors autant mettre le public de son côté.

L'assurance

L'assurance est indispensable, mais ce n'est pas parce que l'on maîtrise parfaitement un numéro qu'il faut parader et s'imaginer être une vedette !

Plus on reste modeste, plus le public est impressionné... car si l'on triomphe trop, le tour de magie semblera ridicule par comparaison.

Les accessoires

Le matériel d'un magicien doit être très soigné, les foulards lavés et repassés, les boîtes propres et les cartes bien lisses. Cela donne de l'élégance au numéro et impressionne le public... Les tours réussissent plus facilement.

À éviter

1 Ne jamais tourner le dos au public. C'est une impolitesse et celui-ci se sentira délaissé. Le magicien doit se consacrer entièrement aux spectateurs. En leur tournant le dos, il donne l'impression de les oublier !

Pour se déplacer sur scène, il suffit de marcher de côté. C'est une question d'entraînement ; avec un peu d'expérience, marcher comme un crabe devient une seconde nature !

2 Ne jamais réaliser son numéro dos à un miroir : les spectateurs risqueraient d'y découvrir la clef du mystère.

3 Ne pas présenter le même tour deux fois de suite : on peut tromper son public une fois mais, la surprise passée, les spectateurs redoublent de vigilance !

4 Ne pas présenter un tour de magie sans être sûr de soi... c'est la meilleure façon de rater son numéro.

Top secret

Il existe une règle d'or que tous les vrais magiciens respectent : ne jamais révéler ses secrets au public, même s'il le demande.

Dans certains clubs de magie, les magiciens prêtent serment afin de ne pas trahir le mystère. La raison en est simple : un tour dévoilé perd toute sa « magie ». Les spectateurs regrettent souvent de découvrir les secrets du magicien. Ils veulent rêver... et le meilleur gardien du rêve, c'est le silence !

Quelques trucs

Tous les magiciens le savent : même avec beaucoup d'habileté, le public risque de voir ce que l'on doit à tout prix lui cacher. Comment détourner son regard, le temps de glisser une carte dans sa manche, ou comment endormir sa méfiance ? Avec quelques « trucs » tout simples, tout est possible !

Le mime

Lorsqu'un geste est parfaitement exécuté, le public y croit. On fait mine de saisir et de garder un objet dans sa main et le voilà qui réapparaît à un endroit différent !

Si le magicien arrive à persuader le public qu'il a bien pris un objet dans sa main, c'est parce qu'il a mimé ce geste de façon très réaliste.

C'est donc en observant attentivement les gestes qu'on peut ensuite les simuler parfaitement.

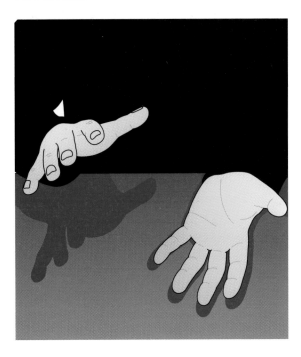

Le regard

Les spectateurs sont plutôt dociles : lorsque le magicien regarde attentivement sa main droite, ils font de même. Mais c'est l'autre main qui fait le tour de passe-passe. Il suffit d'avoir l'air convaincu... cela s'appelle de la persuasion !

La franchise

Bien des tours de magie ne nécessitent aucun accessoire truqué : c'est l'occasion d'en profiter ! En faisant inspecter par les spectateurs les accessoires innocents (ils peuvent les retourner dans tous les sens), on a des chances d'endormir leur méfiance. Après avoir inspecté plusieurs dés, ils ne penseront plus à vérifier si l'un d'eux est truqué.

Mêler mensonge et vérité

C'est bien connu : la répétition assoupit la vigilance. Quand on est habitué à un bruit, on finit par ne plus l'entendre.

Pour les gestes, c'est la même chose : un mélange, deux mélanges, trois mélanges... le quatrième mélange est truqué, mais qui s'en apercevra ?

Magie rapprochée

Quand on se promène dans la campagne, on voit le paysage... et dès que l'on se penche sur un brin d'herbe, le paysage disparaît ! Il se passe la même chose en magie : plus le magicien est proche d'un spectateur, plus celui-ci a du mal à voir tous les gestes car il manque de recul. Cela facilite les trucages.

Et pour les magiciens qui n'ont pas envie de monter tout un spectacle : il est possible de faire un numéro de magie à table, en famille ou chez des amis, sous le nez des convives... L'effet sera réussi, même sans baguette magique !

Conseils pour éviter que ça tourne mal...

1

Pour éviter de rater un tour de cartes, assurez-vous que le spectateur a bien mémorisé la carte choisie avant de la replacer dans le jeu.

2

Si vous ratez un tour sans en avoir dévoilé le secret, recommencez. Le public pensera que le tour est très difficile et sera d'autant plus impressionné lorsque vous le réussirez !

3

Le public s'écrie souvent : « De toutes façons, il y a un truc ! ». La meilleure réplique est la suivante : « Bien sûr qu'il y a un truc ! Mais le talent du magicien est de ne pas vous le laisser deviner ! ».

4

Pour les tours ne nécessitant pas de cartes truquées, vous pouvez montrer aux spectateurs qu'il s'agit d'un jeu normal afin de ne pas éveiller les soupçons.

5

Si un spectateur vous soupçonne d'avoir regardé la carte qu'il a choisie, recommencez le tour les yeux bandés ou détournez la tête lorsqu'il replace sa carte dans le jeu.

6

Pour ne pas paniquer, sachez que le plus important pour le public c'est d'être diverti !

La panoplie du magicien

Pour jouer le rôle du magicien, il suffit d'entrer dans la peau du personnage. Rien de tel qu'un costume de scène ! Le chapeau est un élément indispensable à la tenue du magicien car il permet de faire apparaître ou de faire disparaître des objets. Une cape et une baguette magique apportent la part de mystère à la panoplie... Il ne reste plus qu'à trouver une veste munie de poches et de manches un peu larges... et le tour est joué !

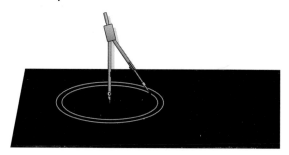

Le chapeau

Matériel
feuille de papier épais noir (50 x 65 cm), compas, règle, crayon à papier, colle, ciseaux, ruban adhésif rouge (facultatif).

1 Tracer un rectangle de 51 × 15 cm dans la longueur de la feuille de papier noir. Découper.

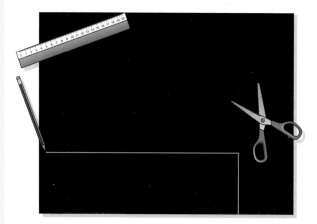

2 Encoller un bord pour former un cylindre. Le diamètre doit être de 14 cm.

3 Sur la même feuille, tracer un cercle de 16 cm de diamètre à l'aide d'un compas. Puis tracer, à l'intérieur, un cercle de 14 cm de diamètre en plaçant la pointe du compas au même endroit.

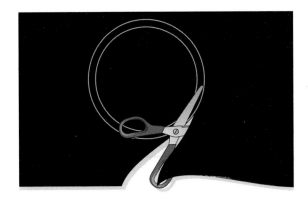

4 Découper en suivant le tracé du grand cercle pour former le fond du chapeau.

5 Découper des crans jusqu'au bord du petit cercle et les replier vers le haut. Encoller les crans et fixer le fond du chapeau au cylindre.

6 Sur le reste du papier, tracer trois cercles (12, 14 et 24 cm de diamètre) en laissant la pointe du compas au même endroit.

7 Découper le grand cercle et évider le plus petit au centre. Puis découper des crans en partant du centre et en s'arrêtant au niveau du deuxième cercle.

8 Replier les crans vers le haut, les encoller puis les fixer au cylindre du chapeau.

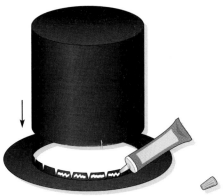

9 Laisser bien sécher et décorer avec du ruban adhésif rouge (facultatif).

La cape

Matériel

tissu rouge et tissu noir (150 x 100 cm) de préférence satiné, 70 cm de ruban satiné noir de 2 cm de largeur, fil noir, aiguille (ou machine à coudre), ciseaux, mètre, épingles, craie.

1 En suivant les dimensions du schéma, tracer la forme de la cape sur le tissu rouge à l'aide d'une craie. Découper la forme.

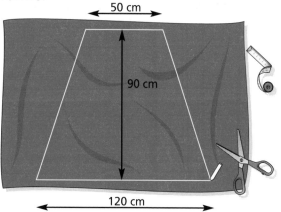

50 cm

90 cm

120 cm

2 Placer le morceau de tissu rouge sur le noir. En reporter les contours à l'aide de la craie et découper.

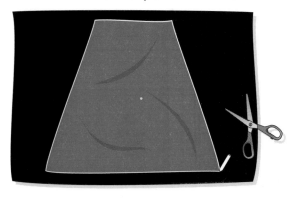

3 Superposer les deux tissus endroit contre endroit. Demander à un adulte de coudre les côtés et le bas.

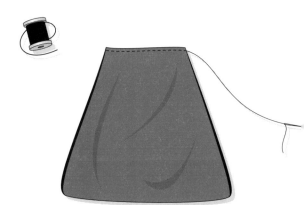

4 Retourner la cape et coudre le haut.

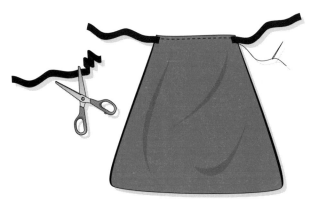

5 Couper le ruban noir en deux pour obtenir 2 morceaux de 35 cm. Les coudre en haut de la cape, de chaque côté.

La baguette magique

Matériel

baguette de bois à section ronde de 12 mm de diamètre, papier adhésif brillant (noir, blanc), ciseaux, règle, pinceau, peinture noire, crayon à papier, petite scie, papier de verre fin.

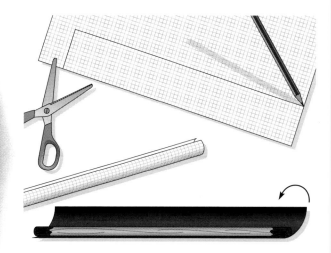

1 Demander à un adulte de couper 30 cm de baguette à l'aide d'une scie. Polir les deux extrémités au papier de verre.

2 Peindre les extrémités en noir. Laisser bien sécher.

3 Au dos du papier adhésif noir, tracer et découper un rectangle de 30 × 5 cm. Ôter le film protecteur et poser la baguette bien parallèle au bord. Enrouler pour recouvrir la baguette.

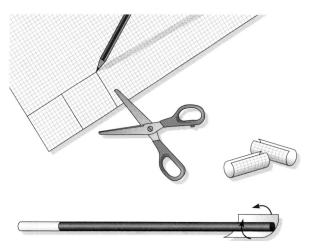

4 Au dos du papier adhésif blanc, tracer et découper 2 carrés de 5 × 5 cm. Ôter le film protecteur et coller les carrés aux extrémités de la baguette.

On peut remplacer la baguette en bois par un tube en carton ou en plastique de dimensions identiques.

Assouplissements

Réussir un tour de magie demande de la précision dans les gestes et beaucoup de souplesse dans les doigts. Un magicien qui n'est pas habile de ses mains a toutes les chances de rater son spectacle : si le geste est lent, le public verra le trucage ! Or un vrai magicien semble manipuler les objets sans effort... et cela demande un peu d'entraînement. Pas de panique, il existe des exercices tout simples qui permettent d'assouplir ses doigts pour les faire bouger à la vitesse de l'éclair et sans hésiter.

Exercice n° 1

1 Serrer les poings très fort.

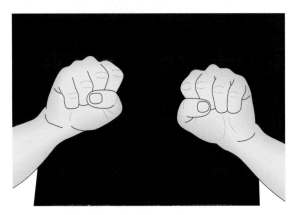

2 Ouvrir rapidement les mains et étendre les doigts au maximum.

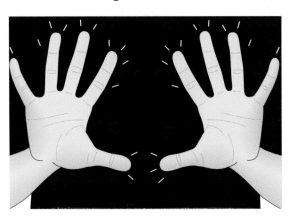

Exercice n° 2

1 Fermer les doigts de la main gauche pour qu'ils se touchent.

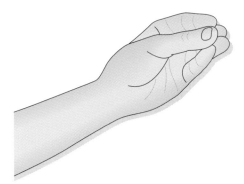

2 Emprisonner les doigts de la main gauche avec la main droite.

3 Tourner doucement les doigts de la main gauche vers le bas.

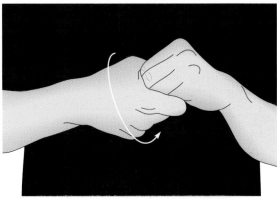

Faire le même exercice avec la main droite.

Exercice n° 3

Écarter les doigts des 2 mains et les bouger rapidement comme pour pianoter pendant 30 secondes. Garder les doigts bien tendus.

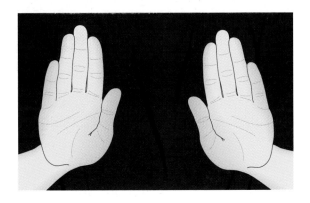

Exercice n° 4

1 Positionner les doigts bien tendus et serrés comme sur le schéma.

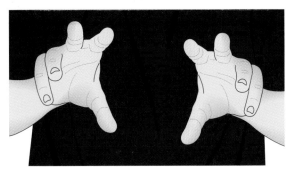

2 Écarter les auriculaires sans décoller les autres doigts.

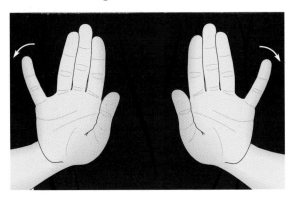

3 Resserrer les doigts puis écarter les annulaires.

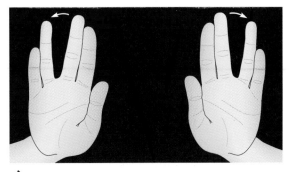

4 Écarter les majeurs sans bouger les index.

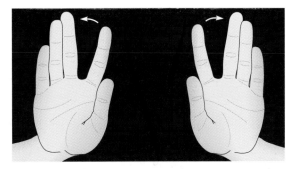

5 Écarter les index dans une direction et les pouces dans une autre.

Exercice n° 5

Ouvrir et fermer les mains le plus rapidement possible pendant 30 secondes.

Tous ces exercices doivent être pratiqués environ 10 fois par jour, tous les jours. Le résultat en vaut la peine !

Pas de magie sans cartes ! Les magiciens débutants commencent générale-ment par les tours de cartes et le matériel se trouve partout. Avec un peu de pratique, on obtient rapidement des effets surprenants car la qualité d'un tour dépend surtout de la manière dont il est présenté. Voici des tours faciles, basés sur des gestes simples, pour qu'à chaque seconde l'illusion soit parfaite ! Faire disparaître des cartes ? Changer leur couleur ? Deviner quelle carte le spectateur a choisie ? Rien de plus facile ! Le public va être fas-ciné et le succès est au bout des doigts !

TOURS
DE CARTES

Vocabulaire utile aux

Les magiciens utilisent un vocabulaire particulier pour les tours de cartes. La liste est très longue mais nous ne garderons ici que l'essentiel. Les différents termes qui suivent se retrouveront tout au long de ce livre.

Dos d'une carte

C'est le dos de la carte à jouer que l'on nomme aussi tarot à marge blanche. Une bordure blanche entoure la couleur. Il est très conseillé d'utiliser des cartes à marges blanches pour la magie.

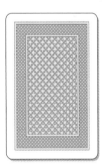

Face d'une carte

C'est la face de la carte sur laquelle est imprimée la valeur (ou figure).

Étaler un jeu faces en l'air

C'est étaler toutes les cartes d'un paquet, faces visibles, en ligne droite sur la table.

Étaler un jeu faces en bas

C'est étaler toutes les cartes d'un paquet, faces cachées, en ligne droite sur la table. Dans ce cas, ce sont les dos des cartes qui sont visibles.

Un bel étalement

Un étalement impeccable met en valeur les qualités du magicien. La précision des gestes est une des choses qui émerveillent le plus les spectateurs. Pour réusssir un bel étalement, les cartes doivent être neuves et bien glissantes.

1 Poser le jeu sur la table. Poser le pouce sur un petit côté du paquet, l'index sur un grand côté et les autres doigts sur l'autre petit côté.

2 Tout doucement, commencer l'étalement de gauche à droite en se servant de l'index et en appuyant légèrement sur le jeu. Terminer l'étalement jusqu'au bout.

tours de cartes

Jeu égalisé faces en l'air

Le paquet de cartes est égalisé sur la table ou dans la main. Toutes les figures des cartes sont visibles.

Jeu égalisé faces en bas

Le paquet de cartes est égalisé sur la table ou dans la main. Tous les dos des cartes sont visibles.

Éventailler le jeu

On ouvre les cartes en éventail, soit faces en l'air, soit faces en bas. Cela permet de faire choisir une carte.

Un bel éventail

1 Les cartes doivent être neuves et glissantes. Tenir le jeu dans la fourche du pouce gauche.

2 Poser l'index de la main droite en haut et à gauche du jeu.

3 Avec l'index, faire glisser les cartes de gauche à droite en arc de cercle. Le pouce gauche sert de pivot.

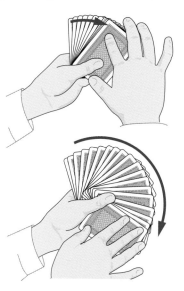

Couper et rétablir la coupe

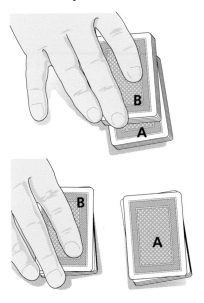

Couper signifie séparer un jeu de cartes en deux. Prendre une partie des cartes et la poser à côté. On obtient deux paquets (A et B).

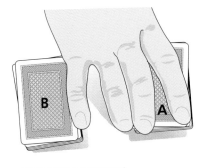

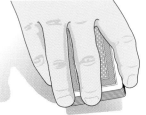

Rétablir la coupe consiste à refermer le jeu en posant A sur B.

Techniques

Pour réussir les tours de cartes, il est parfois nécessaire d'utiliser des manipulations secrètes. Il en existe un grand nombre, des plus simples au plus compliquées. Dans ce livre, seules les plus faciles sont expliquées, elles sont pourtant très efficaces.

Si un tour nécessite l'utilisation d'une des techniques suivantes, un renvoi de page est indiqué dans le texte.

Le forçage

La technique du forçage est très utile. Il s'agit de faire choisir une carte à un spectateur. Celui-ci imagine qu'il prend une carte au hasard alors qu'en réalité la carte lui est imposée.

Voici cinq méthodes différentes qui permettront de varier les forçages afin de ne pas donner d'habitudes aux spectateurs susceptibles de comprendre la technique employée.

4 Puis soulever le paquet B.

2 Demander au spectateur de prendre la moitié des cartes dans la partie supérieure du jeu (A) et de les poser sur la table.

Forçage n° 1

1 Décidons, par exemple, de forcer un spectateur à choisir le 10 de pique. Il faut sortir discrètement cette carte du jeu et la placer sur le dessus du jeu.

3 Sans perdre de temps, prendre l'autre paquet (B) et le poser, perpendiculairement, sur le paquet A. Bavarder un peu afin de détourner l'attention.

5 Demander au spectateur de prendre la carte se trouvant à la coupe (celle qui se trouve au-dessus du paquet A). Le spectateur la regarde sans la montrer. Il pense regarder une carte au hasard alors qu'il s'agit du 10 de pique.

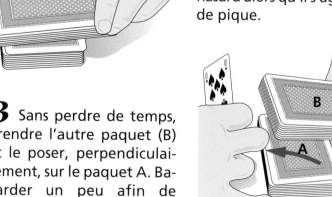

Forçage n° 2

1 Décidons, par exemple, de forcer un spectateur à choisir l'as de carreau. Sortir discrètement cette carte du jeu et la placer sous le paquet.

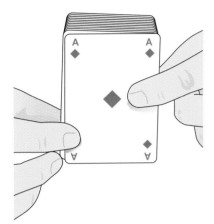

2 Tenir le jeu bien égalisé en main droite en posant le pouce sur un côté du paquet et le majeur sur l'autre. L'ensemble des cartes du paquet doit tenir entre ces deux doigts. Les cartes ne doivent pas tomber lorsque l'on soulève le paquet.

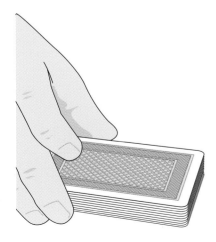

3 La main gauche (paume en l'air) vient saisir une partie du dessus du jeu. Placer le pouce d'un côté et le majeur de l'autre.

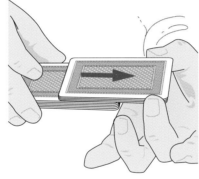

4 Dégager ce petit paquet vers l'extérieur pour le faire tomber dans la paume de la main gauche.

5 Recommencer l'opération en prenant une autre partie du paquet (4 ou 5 cartes) et en la faisant tomber sur le paquet se trouvant déjà en main gauche. Répéter ce geste plusieurs fois en prenant 4 ou 5 cartes à chaque fois.

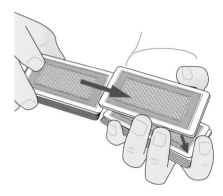

6 Pendant ce temps, demander à un spectateur de dire « Stop ! » lorsqu'il le souhaite. Au signal, arrêter de saisir les cartes et soulever le paquet qui reste en main droite. Demander au spectateur de se souvenir de cette carte (qu'il croit avoir choisie) : il s'agit de l'as de carreau !

Techniques

Forçage n° 3

1 Placer secrètement le 8 de cœur (par exemple) au-dessus du jeu.

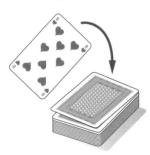

2 Couper le jeu en deux. Le 8 de cœur se trouve au-dessus du paquet B.

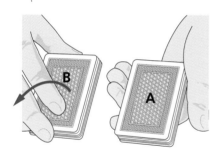

3 Prendre le paquet B dans la main gauche et placer le paquet A par-dessus. Attention ! Avant de placer le paquet A sur le B, coincer le petit doigt entre les deux, sans que les spectateurs s'en aperçoivent.

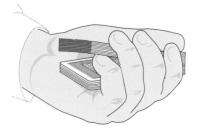

4 Avec les doigts de la main droite, soulever les cartes vers le haut et les relâcher doucement une par une.

5 Demander à un spectateur de dire « Stop ! » quand il le souhaite. Arrêter alors de faire tomber les cartes.

6 À l'aide du pouce et de l'index droits, soulever immédiatement l'ensemble du paquet A (qui est séparé du B par le petit doigt) et le poser à côté sur la table.

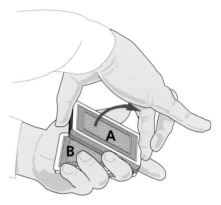

7 Tendre au spectateur le paquet B qui est resté en main gauche et lui demander de choisir la carte du dessus. En croyant choisir une carte au hasard, le spectateur prend le 8 de cœur !

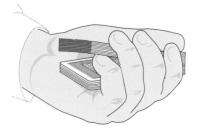

Forçage n° 4

1 Placer secrètement le 10 de carreau (par exemple) sous le jeu.

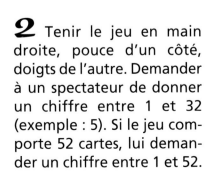

2 Tenir le jeu en main droite, pouce d'un côté, doigts de l'autre. Demander à un spectateur de donner un chiffre entre 1 et 32 (exemple : 5). Si le jeu comporte 52 cartes, lui demander un chiffre entre 1 et 52.

3 Approcher la main gauche en tendant l'index sous le paquet pour saisir le nombre de cartes choisi par le spectateur (5).

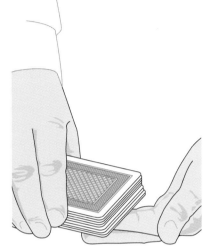

4 Attention ! Avant de saisir les cartes, faire glisser le 10 de carreau de quelques millimètres vers l'extérieur (1 cm maximum).

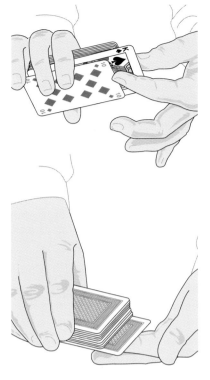

5 Prendre la première carte au-dessus du 10 de carreau. Continuer à retirer les cartes en laissant toujours le 10 de carreau en dessous.

6 Lorsque quatre cartes sont retirées, saisir alors le 10 de carreau. Ce sera la 5e carte, chiffre choisi par le spectateur. La poser sur la table sans la retourner et demander au spectateur de se souvenir de cette carte. Il sera persuadé de l'avoir choisie au hasard !

Techniques

Forçage n° 5

1 Décidons, par exemple, de forcer un spectateur à choisir le 10 de trèfle. Sortir discrètement cette carte du jeu et la placer sous le paquet.

2 Tenir le jeu en main gauche, faces des cartes vers le bas. À l'aide du pouce gauche, pousser les cartes une par une vers la droite pour les éventailler. Demander à un spectateur de dire « Stop ! ».

3 À son signal, cesser de passer les cartes dans la main droite et séparer le jeu en deux.

4 À l'aide du majeur et de l'annulaire droits, emporter secrètement la dernière carte se trouvant sous le paquet de la main gauche (le 10 de trèfle) et la faire glisser sous le paquet tenu en main droite.

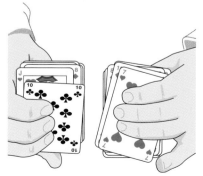

5 Pour les spectateurs, le jeu semble avoir simplement été séparé à l'endroit où le « stop » a été annoncé.

6 Poser le jeu tenu en main gauche sur la table. Puis à l'aide de la main gauche, prendre la carte se trouvant au-dessous du paquet tenu en main droite. La tendre au spectateur sans la retourner afin qu'il la regarde... Il s'agit bien du 10 de trèfle !

Le faux mélange

Un faux mélange permet de placer une ou plusieurs cartes au-dessus ou au-dessous du jeu en faisant croire au spectateur que le jeu est mélangé au hasard. C'est utile pour les forçages, par exemple.

Faux mélange n° 1

Ce faux mélange permet de faire passer une carte sous le jeu.

1 Placer le 10 de carreau sur le jeu. Il va falloir le faire passer dessous.

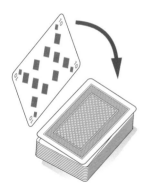

2 Tenir le jeu en main droite, pouce d'un côté du paquet, doigts de l'autre.

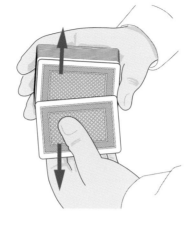

3 La main gauche s'approche pouce tendu et tire la première carte vers le bas (le 10 de carreau). Pendant ce temps, la main droite emporte le reste du jeu vers le haut.

4 Placer immédiatement l'ensemble des cartes de la main droite sur la carte de la main gauche. Le pouce gauche continue à tirer des cartes vers le bas jusqu'à épuisement du paquet tenu en main droite. Le 10 de carreau est passé au-dessous du jeu, prêt à être forcé.

Faux mélange n° 2

Ce faux mélange permet de faire repasser une carte sur le jeu.

1 Le 10 de carreau se trouve sous le jeu. Il va falloir le faire passer dessus.

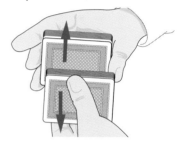

2 Tenir le jeu en main droite comme pour le faux mélange n° 1. Le pouce gauche tire les cartes de la main droite par petits paquets de 3 ou 4 cartes.

3 Quelques cartes avant la fin, les tirer une par une, ainsi la dernière (le 10 de carreau) passe sur le jeu.

Techniques

Faux mélange n° 3

Ce faux mélange permet de garder quelques cartes au-dessus du jeu.

1 Poser le jeu sur la table dans le sens de la longueur. Le couper en deux en posant la partie supérieure à droite (B). Les cartes devant être conservées se trouvent sur le paquet B.

2 Placer les mains comme sur le schéma, index sur le dos des paquets, pouces sur les côtés.

3 Soulever chaque paquet à l'aide des pouces.

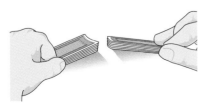

4 Rapprocher les paquets et faire tomber les cartes afin qu'elles se mélangent les unes avec les autres.

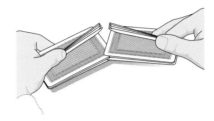

5 Pour terminer, faire tomber ensemble les dernières cartes du paquet B (celles choisies) sur le paquet A.

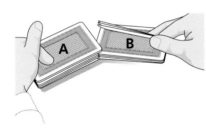

6 Rentrer les paquets l'un dans l'autre, les cartes choisies sont restées au-dessus du jeu.

Faux mélange n° 4

Ce faux mélange permet de garder quelques cartes au-dessous du jeu.

1 Couper le jeu en deux en posant la partie supérieure à droite (B). Les cartes que l'on veut garder se trouvent sous le paquet A.

2 Prendre les paquets comme au faux mélange n° 3 afin de mélanger les cartes les unes avec les autres.

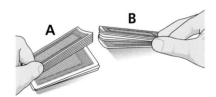

3 Attention ! Ici, on doit d'abord faire tomber les quelques cartes qui se trouvent sous le paquet A. Puis finir le mélange des 2 paquets et égaliser le jeu.

Les fausses coupes

Une fausse coupe est idéale pour conclure un faux mélange ou pour donner l'illusion d'un mélange avant un forçage. Tous les gestes doivent être exécutés de façon naturelle afin de ne pas éveiller les soupçons.

Le but de la manipulation est de laisser les cartes dans le même ordre en faisant croire au public qu'on les mélange.

Fausse coupe n° 1

1 Le jeu est tenu en main gauche du bout des doigts, paume en l'air.

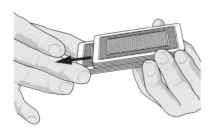

2 Avec la main droite, tirer la moitié inférieure du jeu et la poser sur la table.

3 Puis, de la main droite, saisir le paquet resté en main gauche et le poser sur le premier.

Cette fausse coupe ne peut être présentée qu'une seule fois devant un même public.

Fausse coupe n° 2

1 Tenir le jeu en main gauche. Couper environ un tiers du jeu à l'aide de la main droite et le poser sur la table (A).

2 Puis prendre un autre tiers du paquet et le poser à côté (B).

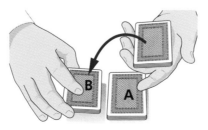

3 Prendre enfin le dernier paquet et le poser (C).

4 Sans perdre de temps, prendre le paquet du milieu (B) à l'aide de la main droite et le placer dans la main gauche.

5 Prendre le paquet A et le placer par-dessus.

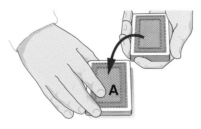

6 Prendre ensuite l'ensemble de ces 2 paquets (A et B) et le poser sur le paquet C.

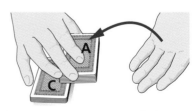

Ces mouvements doivent être réalisés sans hésitation.

Techniques

Les sauts de coupe

La technique du saut de coupe est très simple. Un spectateur choisit une carte et la replace dans le jeu. Le jeu va être coupé plusieurs fois afin de faire croire au spectateur que sa carte s'est bien mélangée au reste du paquet. En réalité, cette technique permet au magicien de ne pas égarer la carte choisie en la faisant passer au-dessus du paquet.

Saut de coupe n° 1

1 Demander au spectateur de poser la carte qu'il a choisie au-dessus du jeu.

2 Puis exécuter la fausse coupe n° 2 (page 33). Le public croira que la carte est mélangée dans le jeu alors qu'elle est au-dessus.

Saut de coupe n° 2

1 Demander au spectateur de poser la carte qu'il a choisie au-dessus du jeu.

2 Faire passer la carte sous le jeu à l'aide du faux mélange n° 1 (page 31).

3 Sans perdre de temps, exécuter le faux mélange n° 2 (page 31) pour faire passer la carte au-dessus du jeu.

Saut de coupe n° 3

1 Tenir le jeu égalisé en main gauche.

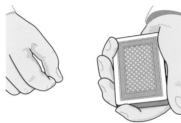

2 À l'aide de la main droite, prendre la moitié supérieure du jeu et la soulever.

3 Demander au spectateur de remettre la carte qu'il a choisie sur le paquet tenu en main gauche.

4 Puis replacer le paquet tenu en main droite sur l'ensemble. Mais attention ! Placer le petit doigt entre les 2 paquets sans que le public s'en aperçoive.

5 Faire semblant de couper le jeu : prendre le paquet au-dessus du petit doigt et le poser sur la table.

6 Puis poser le paquet resté en main gauche sur le tout. La carte choisie est passée au-dessus du paquet.

Saut de coupe n° 4

1 Demander au spectateur de remettre la carte qu'il a choisie au-dessus du jeu. Puis placer le jeu en main gauche comme sur le schéma.

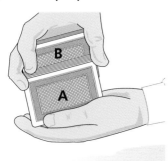

2 Soulever la moitié inférieure du paquet à l'aide de la main droite (paquet B). Appelons le paquet restant A.

3 Faire passer B au-dessus de A et le décaler d'environ 2 cm vers soi afin de marquer un repère entre les 2 paquets. Pour l'instant, la carte choisie se trouve au-dessus du paquet A.

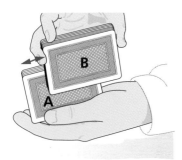

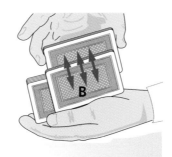

4 Soulever la moitié inférieure du paquet B et mélanger ce paquet sur lui-même sans toucher au paquet A.

5 Soulever le paquet A et le placer sur le B. Le public croit que la carte a été mélangée alors qu'elle est passée sur le paquet.

Saut de coupe n° 5

1 Pendant que le spectateur regarde la carte qu'il a choisie, tourner le dos et en profiter pour courber au maximum la carte du dessous du paquet.

2 Se retourner et lui demander de placer sa carte au-dessus du jeu. Puis couper le jeu en deux, dans la main, et refermer la coupe.

3 Placer le pouce droit au niveau de la carte courbée, soulever la partie supérieure du paquet et la poser sur la table.

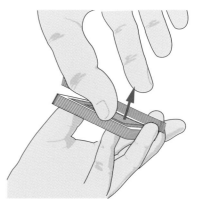

4 Puis remettre le paquet tenu en main gauche par-dessus. La carte choisie est sur le paquet !

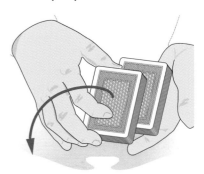

Carré d'as

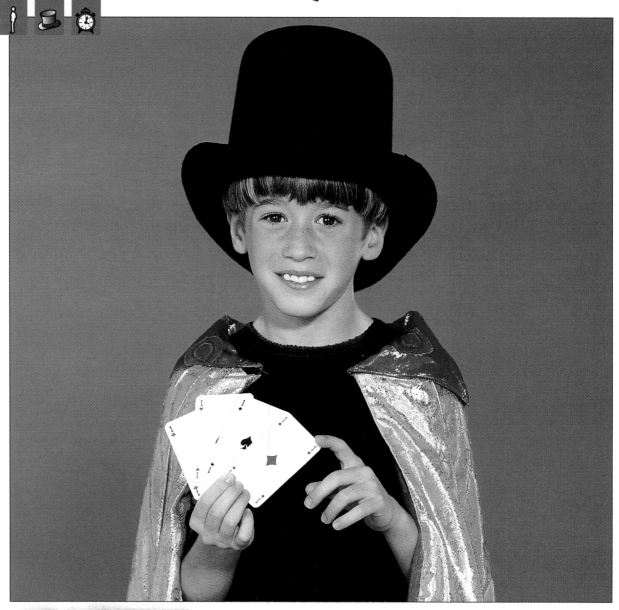

Matériel
un jeu de 32 cartes.

Préparation du tour

Placer les quatre as sur le dessus du jeu. Retourner le jeu égalisé, faces en bas sur la table.

Présentation du tour

1 Donner le jeu à un spectateur. Lui demander de prendre la première carte au-dessus du jeu et de la poser sur la table (A).

2 Lui demander de prendre la suivante et de la poser à gauche de la première (B).

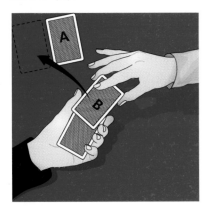

3 Le spectateur prend alors la carte suivante et la pose sur la carte A, puis la suivante sur la carte B et ainsi de suite. La distribution terminée, il y aura 2 paquets de 16 cartes (A et B). Sous chacun d'eux se trouvent deux as.

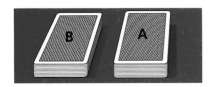

4 La suite du tour se déroule selon le même principe. Demander au spectateur de prendre le paquet A et de le diviser, carte par carte, en deux nouveaux paquets de huit cartes (C et D).

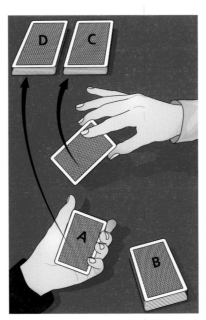

5 Lui demander de faire 2 nouveaux paquets (E et F) avec le paquet B.

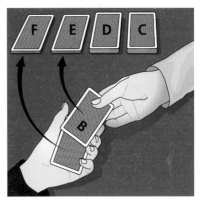

6 Retourner la première carte de chaque paquet : les quatre as apparaissent !

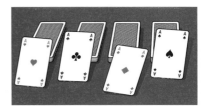

Le bon choix

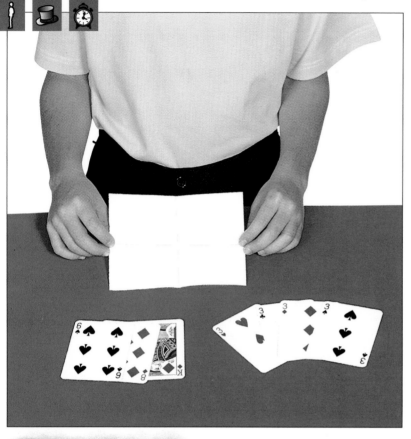

Matériel

un jeu de 52 cartes, une feuille de papier, un stylo.

Préparation du tour

1 Sortir du jeu les quatre 3 et trois cartes quelconques. Faire un paquet avec les 3 et un autre paquet avec les trois cartes.

2 Écrire « Le paquet de 3 » sur une feuille. La plier en quatre et la poser sur la table à côté des 2 paquets posés faces en bas.

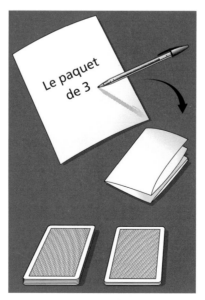

Présentation du tour

Inviter un spectateur à choisir librement un paquet. Puis annoncer : « Je l'avais prévu ! ». Quel que soit son choix, la prédiction sera exacte :

1 S'il choisit le premier paquet et qu'il le retourne : il n'y a que des 3 ! Lui demander d'ouvrir la feuille de papier : c'est inscrit !

2 S'il choisit le deuxième paquet, l'inviter à compter les cartes sans les retourner : il y en a trois ! C'est inscrit sur la feuille ! L'autre paquet, lui, en contenait quatre.

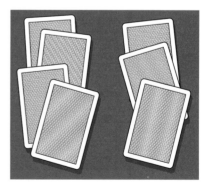

Ce tour ne peut se faire qu'une seule fois devant un même public !

Au toucher

Matériel

un jeu de 32 cartes, 5 enveloppes.

Présentation du tour

1 Retirer 5 cartes du jeu au hasard. Exemple :

2 Faire choisir une de ces cartes à un spectateur. Par exemple : le 7 de cœur.

3 Placer chacune de ces 5 cartes dans une enveloppe. Attention ! La carte choisie est placée dans le sens vertical alors que les autres sont placées horizontalement. Cela doit se faire d'une façon naturelle en tenant l'ouverture des enveloppes vers soi.

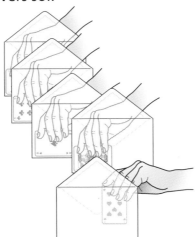

4 Refermer les rabats et mélanger les enveloppes.

5 Annoncer alors : « Je vais retrouver la carte choisie ». Toucher une à une les enveloppes pour sentir quelle carte est placée verticalement. Ouvrir l'enveloppe et montrer la bonne carte.

Double - Face

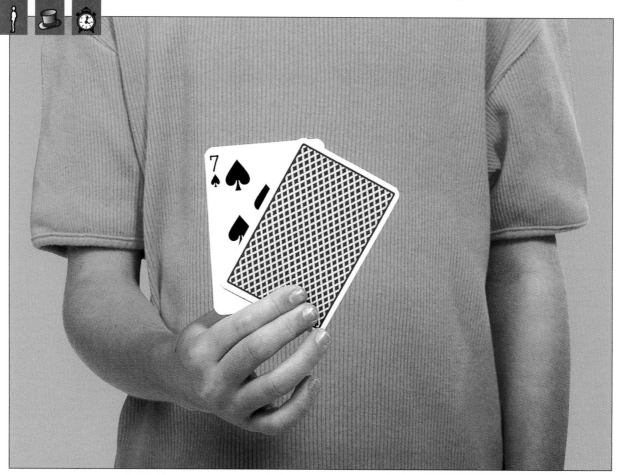

Matériel

un jeu de 32 cartes,
un tube de colle,
un sac en papier.

Préparation du tour

1 Sortir du jeu : l'as de cœur, le 7 de pique et deux cartes quelconques.

2 Coller l'as de cœur et le sept de pique dos à dos. Puis coller les deux cartes quelconques face à face : ce sera une carte sans figures. Laisser sécher sous un gros livre.

Avant de présenter le tour à un public, apprendre les mouvements suivants :

3 Tenir les deux cartes en éventail. La carte « 7 de pique – as de cœur » se trouvant sous la carte sans figures. Les montrer en plaçant la main comme sur le schéma.

4 Retourner la main paume vers le sol afin de montrer l'autre côté des cartes. Pendant cette manœuvre, faire glisser la carte sans figures à gauche à l'aide du pouce tout en faisant glisser la carte « 7 de pique – as de cœur » à droite à l'aide de l'index et du majeur.

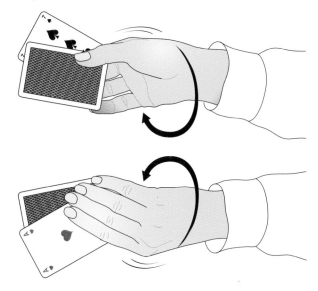

Ainsi, quand la main est complètement tournée vers le sol, le public aperçoit l'as de cœur et pense que la carte retournée est le 7 de pique.

5 Retourner la main dans l'autre sens en effectuant les mêmes mouvements à l'envers. S'entraîner quelques minutes avant le début du tour.

Présentation du tour

1 Montrer les cartes au public en effectuant les mouvements expliqués précédemment. Bien insister sur le fait que l'on a le 7 de pique d'un côté et l'as de cœur de l'autre.

2 Placer les deux cartes dans le sac en papier. Inviter un spectateur à choisir mentalement une de ces deux cartes sans vous dire laquelle.

3 Plonger la main dans le sac, retirer la carte sans figures et la placer dans sa poche. Annoncer : « Je viens de placer une carte dans ma poche, celle qui reste dans le sac est celle à laquelle vous aviez pensé ».

4 Demander au spectateur la carte choisie. En fonction de sa réponse, sortir la carte du sac en montrant soit la face avec l'as de cœur, soit la face avec le 7 de pique !

Maxi 10

3 Placer ensuite le 10 de cœur sur le dessus du jeu.

Présentation du tour

1 Forcer le spectateur à choisir le 10 de cœur à l'aide du forçage n°3 (page 28). Puis lui annoncer : « J'ai la même carte en poche ». Sortir la grande carte de la poche en laissant seulement trois cœurs visibles et dire : « C'est le 3 de cœur ! ».

Matériel

un jeu de 32 cartes,
bristol blanc,
règle, ciseaux,
crayon à papier,
feutre rouge,
patron page 182.

2 Placer cette carte dans la poche intérieure de sa veste.

2 Le spectateur dira qu'il avait choisi le 10 de cœur et non le 3. Sortir alors toute la carte, il s'agit bien du 10 de cœur.

Préparation du tour

1 Reporter le patron de la longue carte sur le bristol. La découper et dessiner les cœurs au feutre rouge.

Demi-tour

Matériel

2 jeux de 32 cartes avec leurs étuis.

Préparation du tour

1 Dans un des jeux de cartes, placer le roi de carreau au milieu et le retourner face en l'air.

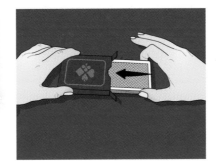

2 Refermer ce paquet et le glisser dans son étui.

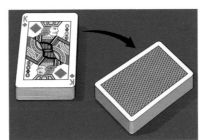

3 Prendre l'autre jeu et placer le roi de carreau en dessous. Placer ce jeu égalisé faces en bas sur la table.

Présentation du tour

1 Présenter l'étui à un spectateur et lui demander de le mettre dans sa poche.

2 Prendre l'autre jeu et forcer le spectateur à choisir le roi de carreau à l'aide des forçages n°2 ou n°3 (pages 27-28).

3 Lui demander de sortir l'étui et d'étaler les cartes sur la table. Une seule est retournée : le roi de carreau. C'est la même carte qu'il a en main !

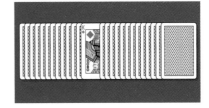

43

Famille d'as

3 Coller la moitié du 7 de trèfle entre les cœurs du 2. Puis coller la moitié du 10 de cœur comme sur le schéma.

4 Coller l'as de cœur au dos de cette carte truquée.

5 Placer l'as de pique et l'as de carreau au dos de la carte truquée.

6 Maintenir l'ensemble en main gauche, pouce d'un côté et doigts de l'autre.

Placer l'as de trèfle devant en laissant apparaître le 10 de cœur.

Matériel

un jeu de 52 cartes, colle, ciseaux, chapeau, baguette magique.

1 Sortir du jeu les quatre as, le 2 de cœur, le 7 de trèfle et le 10 de cœur.

2 Découper le 10 de cœur et le 7 de trèfle en leur milieu.

Préparation du tour

Présentation du tour

1 Tenir le chapeau en main droite et l'incliner pour montrer qu'il est vide. Le poser sur la table. Nommer les quatre cartes que l'on tient en main gauche.

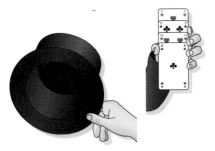

2 Déposer les cartes dans le chapeau et donner un coup de baguette magique. Retirer d'abord l'as de cœur (au dos duquel les trois cartes sont collées). Puis sortir, un par un, les trois autres as. Incroyable ! Les quatre cartes sont devenues des as !

3 Donner le chapeau à examiner, l'intérieur est totalement vide.

10 sur 10

Matériel

2 jeux de 32 cartes, colle, ciseaux, chapeau.

Préparation du tour

1 Sortir les quatre 10 du premier jeu. Puis sortir de l'autre jeu le 10 de cœur, le 10 de carreau et le 10 de pique. Découper un 10 de carreau et un 10 de cœur en leur milieu.

2 Les coller comme sur le schéma sur le 10 de pique. Puis coller l'autre 10 de pique au dos de cette carte truquée.

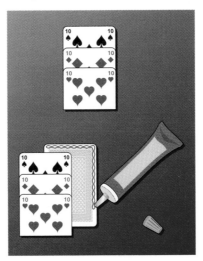

3 Maintenir l'ensemble en main gauche, pouce d'un côté, doigts de l'autre. Placer le 10 de trèfle devant. Mettre les autres 10 de carreau et de cœur non truqués dans sa poche.

Présentation du tour

1 Tenir le chapeau en main droite et l'incliner de façon à montrer qu'il est vide. Le poser sur la table. Nommer les quatre 10 que l'on tient en main gauche.

2 Déposer les cartes dans le chapeau et donner un coup de baguette magique. Ressortir le 10 de pique (au dos duquel se trouvent les cartes collées) et le 10 de trèfle. Il ne reste que deux 10 noirs ! Incliner le chapeau pour montrer qu'il est vide. Sortir de sa poche les deux 10 rouges qui se sont sauvés par magie !

Le rouge et le noir

Matériel

un jeu de 52 cartes,
crayon à papier,
règle, ciseaux,
colle.

Préparation du tour

1 Sortir du jeu le 7 de carreau, le 10 de cœur, l'as de cœur, le 7 de pique, le 3 de trèfle, le 10 de trèfle, le 8 de pique et le 8 de cœur.

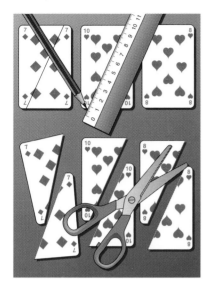

2 Tracer une diagonale sur les cartes suivantes : 7 de carreau, 10 de cœur et 8 de cœur. Découper.

3 Coller le demi 7 de carreau sur le 8 de pique, le demi 10 de cœur sur le 10 de trèfle et le demi 8 de cœur sur le 7 de pique.

4 Tenir les quatre cartes en éventail avec la main gauche de façon à ne voir que les rouges.

Présentation du tour

1 Tenir les cartes en éventail comme ci-dessous et tourner la main face au public afin que celui-ci voit les cartes rouges.

2 Retourner ensuite les cartes vers soi. Refermer l'éventail vers la droite.

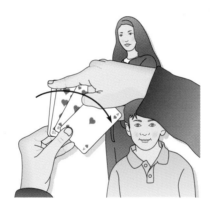

3 Retirer l'as de cœur et le remplacer par le 3 de trèfle en montrant qu'il s'agit d'une carte noire.

4 Sans aller trop vite, disposer les cartes en éventail de façon à voir les noires. Cette manœuvre se réalise de son côté.

5 Lorsque c'est terminé, retourner la main vers le public afin de montrer que toutes les cartes sont devenues noires !

L'absente

Matériel

un jeu de 32 cartes.

Préparation du tour

1 Retirer du jeu les treize cartes suivantes : 10 de carreau, 10 de trèfle, 9 de pique, 9 de cœur, 7 de carreau, 7 de pique, 8 de trèfle, 10 de cœur, 8 de pique, 10 de pique, 9 de trèfle, 7 de trèfle et 9 de carreau.

2 Placer dans sa poche les cartes suivantes : 10 de cœur, 8 de pique, 10 de pique, 9 de trèfle, 7 de trèfle et 9 de carreau.

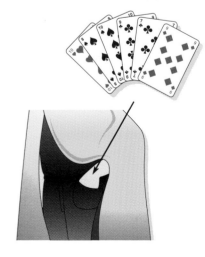

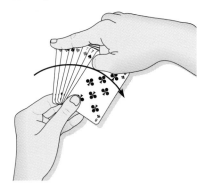

3 Lorsqu'il a choisi sa carte, refermer l'éventail.

4 Placer les cartes dans sa poche à côté des autres. Ne surtout pas les mélanger.

5 Annoncer : « Je sais de quelle carte il s'agit ». Sortir alors les six autres cartes que l'on avait placées en premier dans sa poche. Une seule carte manque : celle que le spectateur avait choisie !

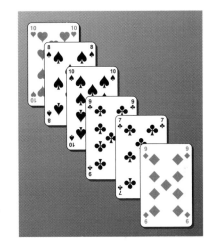

Présentation du tour

1 Montrer au public les sept autres cartes en les tenant en éventail : 10 de carreau, 10 de trèfle, 9 de pique, 9 de cœur, 7 de carreau, 7 de pique et 8 de trèfle.

2 Demander à un spectateur de choisir une carte mentalement. Il ne doit ni la montrer, ni la nommer à haute voix. Ne pas montrer les cartes trop longtemps.

L'intruse

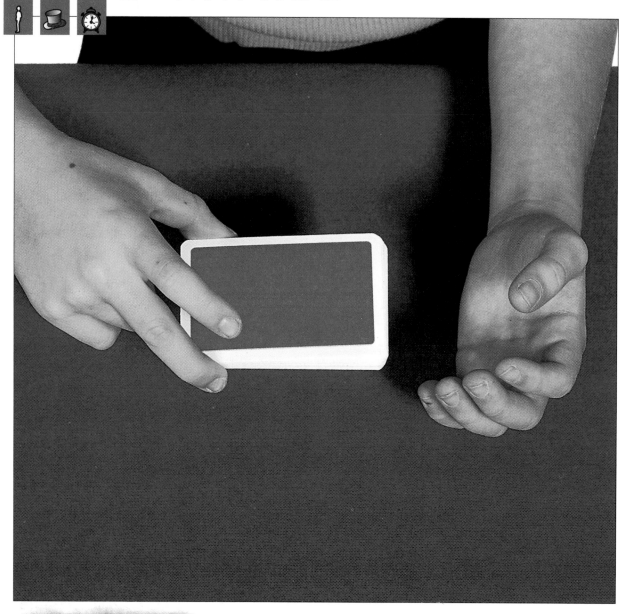

Matériel

un jeu de 52 cartes
à dos rouge,
un jeu de 52 cartes
à dos bleu identique
(ou autre couleur).

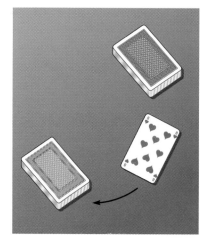

Préparation du tour

1 Retirer le 8 de cœur du
jeu à dos bleu et le placer
sous le paquet à dos rouge.

Ranger le reste des cartes à
dos bleu, elles ne serviront
pas.

Retirer le 8 de cœur du jeu
rouge et le ranger, il ne servira pas pendant le tour.

Présentation du tour

Forcer un spectateur à choisir le 8 de cœur à l'aide du forçage n°2 (page 27).

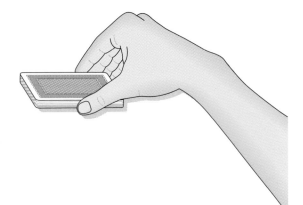

1 Tenir le jeu égalisé en main droite, pouce d'un côté, doigts de l'autre, comme sur le schéma.

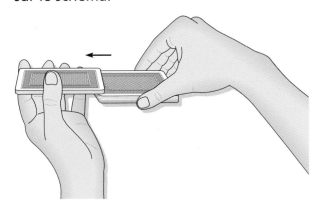

2 La main gauche, paume en l'air, vient saisir la partie supérieure du jeu (4 ou 5 cartes).

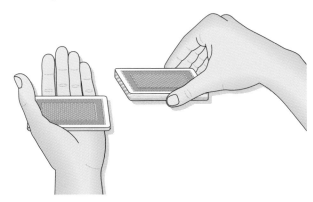

3 Faire tomber ces 4 ou 5 cartes dans la paume de la main gauche.

4 Recommencer l'opération plusieurs fois en suivant la technique du forçage n°2 (page 27). Demander à un spectateur de dire « Stop ! » quand il le souhaite. Cesser alors de prendre les cartes du dessus du jeu et lui montrer la carte du dessous du paquet tenu en main droite.

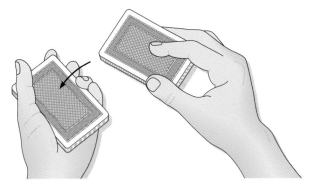

5 Lorsque le spectateur a bien regardé cette carte, reposer le paquet tenu en main droite sur le paquet de gauche.

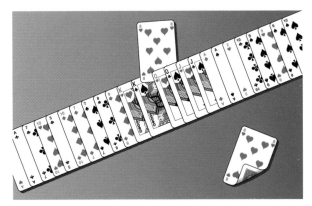

6 Étaler toutes les cartes face en l'air sur la table. Demander au spectateur de retirer la carte choisie et de la retourner : elle a le dos bleu !

Coucou me voici !

Matériel

un jeu de 32 cartes.

Présentation du tour

1 Présenter le jeu en éventail et faire choisir une carte à un spectateur.

2 Lui demander de la remettre dans le jeu. Utiliser une méthode de saut de coupe (voir page 34-35) pour faire passer la carte choisie au-dessus du jeu.

3 Tenir ensuite le jeu face au public, pouce d'un côté, majeur, annulaire et auriculaire de l'autre.

4 L'index est caché derrière le jeu, le public ne le voit pas.

5 À l'aide de l'index, pousser la dernière carte vers le haut (celle qui a été choisie).

6 Une carte semble sortir mystérieusement du jeu ? Il s'agit de celle choisie par le spectateur.

Variante

Matériel

un jeu de 32 cartes avec son étui, cutter.

Préparation du tour

Demander à un adulte de découper un rectangle au dos de l'étui.

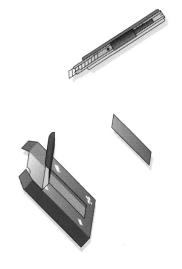

Présentation du tour

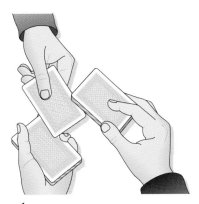

1 Ce tour se réalise selon le même principe que précédemment. Faire choisir une carte et la faire passer sur le dessus du jeu selon une technique de saut de coupe (pages 34-35).

2 Placer le jeu dans l'étui en faisant bien attention à ne pas montrer l'ouverture secrète au dos. Appuyer l'index sur la dernière carte (celle qui a été choisie).

3 Pousser cette carte vers le haut. La carte choisie sort de l'étui comme par magie !

Un joli sept

Matériel
un jeu de 52 cartes.

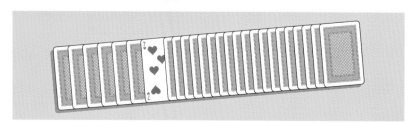

Préparation du tour

1 Placer le sept de cœur en septième position, face en l'air, à partir du dessous du jeu.

2 Refermer le paquet et bien l'égaliser en main.

Présentation du tour

1 Présenter les cartes en éventail au public. Laisser les cartes du dessous du jeu assez serrées afin de ne pas montrer le 7 de cœur retourné.

2 Faire choisir une carte (par exemple le 8 de carreau). Le spectateur la regarde sans la montrer.

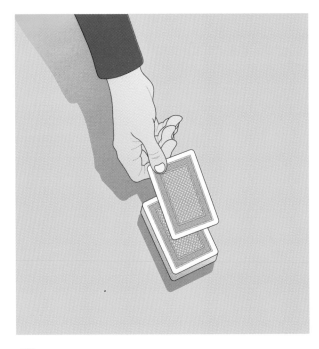

3 Lui demander de remettre la carte sur le dessus du jeu.

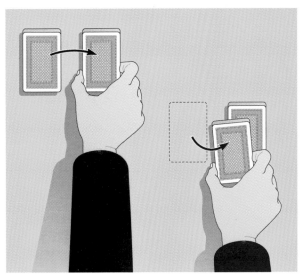

4 Sans perdre de temps, couper le jeu en deux et refermer la coupe.

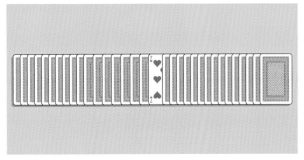

5 Annoncer que la carte choisie va se retourner toute seule dans le jeu. Étaler le jeu sur la table, le 7 de cœur apparaît. Le spectateur dira que ce n'est pas la carte choisie.

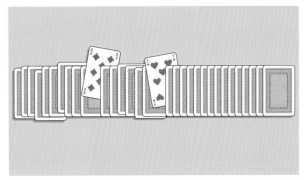

6 Expliquer que ce 7 de cœur est en réalité une carte indice qui signifie que la carte choisie se trouve sept cartes plus loin. Partir vers la gauche en comptant jusqu'à sept. Sortir la septième carte : il s'agit bien de la carte choisie (ici, le 8 de carreau) !

Joli 4

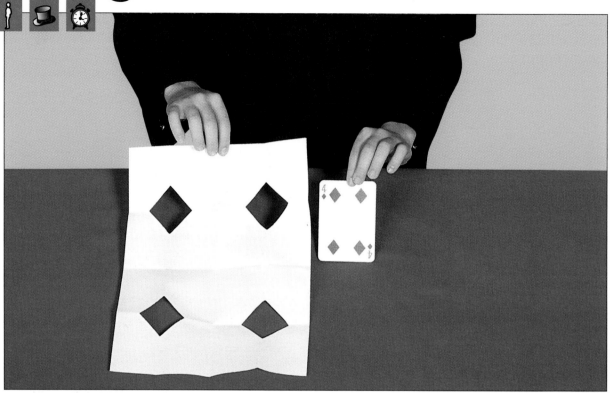

Matériel

un jeu de 52 cartes,
une feuille de papier,
ciseaux.

Préparation du tour

Placer le 4 de carreau sous le
jeu de cartes.

Présentation du tour

1 Forcer un spectateur à choisir le 4 de carreau à l'aide d'une des méthodes de forçage (voir pages 26 à 30). Lui demander de garder cette carte en main pour la suite du tour.

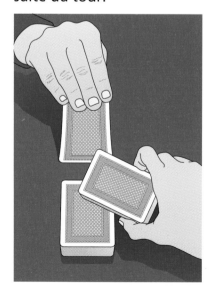

2 Plier la feuille en quatre et découper le coin en diagonale.

3 Demander au spectateur de montrer sa carte. Ouvrir la feuille : il s'agit du 4 de carreau !

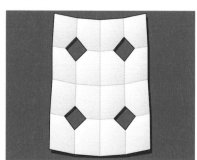

Gravée

Roi de pique

Matériel

un jeu de 32 cartes, une ardoise blanche effaçable à sec, feutre noir indélébile, feutre noir effaçable à sec, chiffon.

Préparation du tour

1 Avec le feutre indélébile, écrire « roi de pique » en haut à gauche de l'ardoise. Puis à l'aide du feutre effaçable de même couleur, écrire à la suite toutes les autres cartes du jeu.

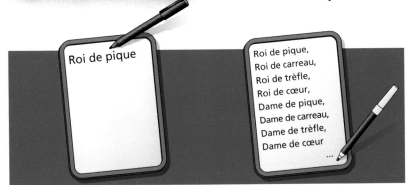

Roi de pique

Roi de pique,
Roi de carreau,
Roi de trèfle,
Roi de cœur,
Dame de pique,
Dame de carreau,
Dame de trèfle,
Dame de cœur ...

2 Poser l'ardoise retournée sur la table afin de cacher les inscriptions. Mettre le chiffon dans sa poche. Placer le roi de pique sous le jeu de cartes.

Présentation du tour

1 Forcer le spectateur à choisir le roi de pique à l'aide du forçage n° 2 ou n° 3 (voir pages 27-28) et à le garder. Annoncer que la carte choisie est inscrite sur l'ardoise. Demander alors au spectateur le nom de cette carte (roi de pique).

Roi de pique

2 Retourner l'ardoise et montrer que le nom de la carte y est bien inscrit. Le public rira puisque toutes les cartes sont inscrites. Prendre alors le chiffon et nettoyer, tout s'efface sauf un nom : le roi de pique !

Identique

Matériel
un jeu de 52 cartes.

Préparation du tour

1 Sortir du jeu les quatre 3 et les quatre 4.

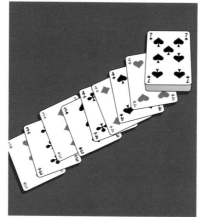

2 Placer les quatre 4 sur les quatre 3 et le reste des cartes sur le tout.

3 Égaliser le jeu et le poser sur la table faces en bas.

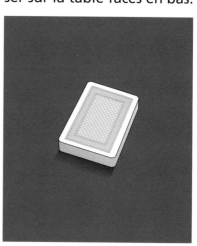

Présentation du tour

1 Poser les huit cartes du dessus du jeu de gauche à droite sur la table.

2 Faire choisir une carte à un spectateur. Celui-ci la regarde sans la retourner et la garde en main. Le magicien sait que les quatre cartes de gauche sont des 3 et que les quatre cartes de droite sont des 4. Il sait donc ce qu'a choisi le spectateur.

3 Ramasser ensuite les sept cartes restantes en partant de la droite et en les posant une par une sur le jeu.

4 Poser une par une les cartes en tas sur la table. Quand plus de huit cartes sont déjà posées, demander au spectateur de dire : « Stop ! ». Cesser alors de déposer des cartes et poser le jeu tenu dans la main à l'écart. Reprendre le tas posé sur la table.

5 Annoncer au spectateur : « Je vais faire autant de tas de cartes que la valeur de la carte que tu as choisie ». Il y a alors deux possibilités :

Soit le spectateur a choisi un 3 : dans ce cas, faire trois tas de cartes en posant les cartes une par une comme sur le schéma jusqu'à épuisement des cartes. Retourner la dernière carte de chaque paquet : ce sont des 3, comme la carte choisie par le spectateur !

Soit le spectateur a choisi un 4 : dans ce cas, faire quatre tas de cartes en posant les cartes une par une comme sur le schéma, jusqu'à épuisement des cartes. Retourner la dernière carte de chaque paquet : ce sont les quatre 3 !

Divination

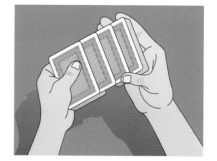

1 Faire un faux mélange (voir le faux mélange n°1, page 31) pour faire passer le 10 de cœur sous le jeu. Pour le public, le jeu semble avoir été mélangé.

2 Demander à un spectateur de prendre une carte.

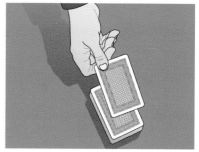

3 Pendant qu'il regarde sa carte, poser le jeu faces en bas sur la table. Demander ensuite au spectateur de poser sa carte sur le dessus du paquet.

Matériel

un jeu de 52 cartes.

Préparation du tour

Placer le 10 de cœur au-dessus du jeu, ce sera la carte « repère ».

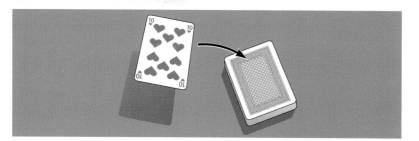

4 Couper le jeu en deux.

5 Rétablir la coupe.

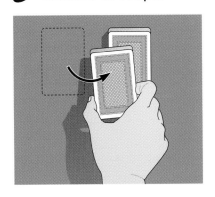

6 Retourner toutes les cartes faces en l'air. Regarder discrètement où se trouve le 10 de cœur (la carte « repère »). Retirer alors la carte se trouvant juste après à droite. Il s'agit de la carte prise par le spectateur !

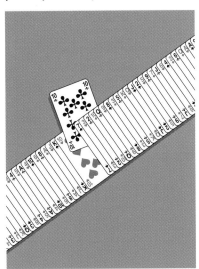

Variante

On peut réaliser ce tour sans faire de faux mélange. Dans ce cas, c'est un spectateur qui mélange le jeu. Regarder discrètement la carte du dessous du jeu lorsque l'on reprend le jeu en main (ce sera la carte « repère »).

Deux en une

Matériel

un jeu de 52 cartes.

Préparation du tour

1 Tenir le jeu égalisé en main gauche. Avec la main droite, prendre les deux cartes du dessus du jeu.

Les égaliser parfaitement comme s'il n'y avait qu'une seule carte (exemple : la carte du dessus est un 10 de trèfle et celle du dessous est un 3 de carreau).

Présentation du tour

1 Montrer la carte comme s'il n'y en avait qu'une.

2 Reposer les deux cartes sur le dessus du paquet. Le public n'a vu que le 3 de carreau.

3 S'approcher d'un spectateur. Soulever la première carte du dessus du jeu sans la retourner. Lui demander de souffler dessus.

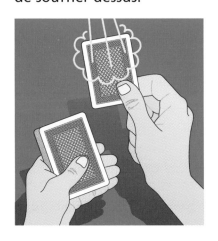

4 Retourner la carte. Elle a changé de couleur, ce n'est plus le 3 de carreau, mais le 10 de trèfle !

Me revoilà

Matériel
un jeu de 52 cartes.

Présentation du tour

1 Le début est identique au tour précédent. On place le 10 de trèfle sur le 3 de carreau et on ne montre que le 3.

2 Replacer les deux cartes (le public n'en a vu qu'une seule) au-dessus du jeu. Puis prendre la carte du dessus et annoncer : « Je prends le 3 de carreau et je le place au milieu du jeu ». En réalité, c'est le 10 de trèfle que l'on place au milieu.

3 Annoncer que la carte va repasser sur le dessus du jeu. Souffler sur le jeu et retourner la première carte : effectivement, c'est le 3 de carreau !

Entre - deux

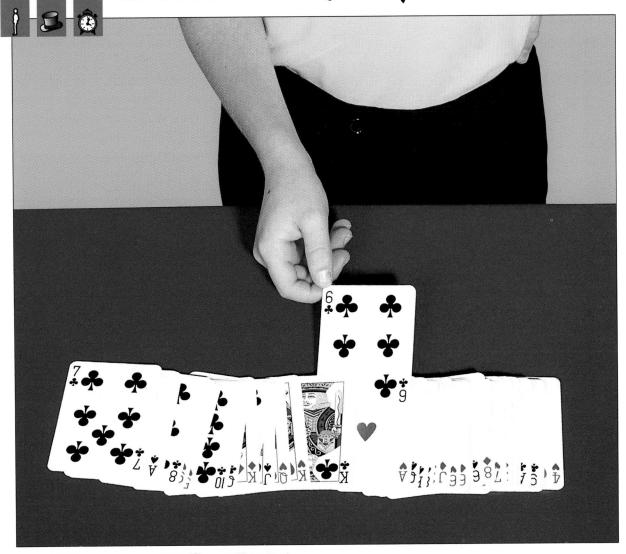

Matériel
un jeu de 52 cartes.

Préparation du tour

1 Sortir du jeu les quatre as et les quatre rois.

2 Placer les quatre as sur le jeu et les quatre rois dessous.

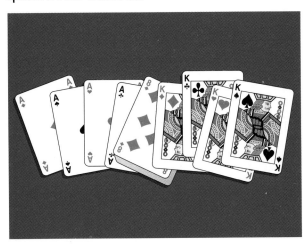

Présentation du tour

1 Donner le jeu faces en bas à un specta-teur. Lui demander de faire quatre paquets en distribuant les cartes une par une de gauche à droite.

2 Sans le savoir, le spectateur a placé les quatre as au-dessous des paquets et les quatre rois au-dessus. Nommons les pa-quets : A, B, C et D.

3 Demander au spectateur de toucher un paquet de son choix (exemple C). Prendre ce paquet, le disposer en éventail et lui faire choisir une carte dont il doit se souvenir.

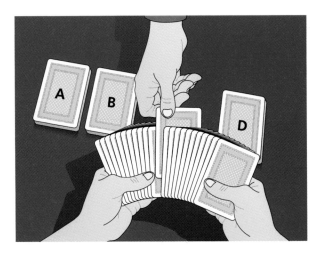

4 Pendant qu'il regarde sa carte, refermer l'éventail et reposer le paquet à sa place (C). Inviter le spectateur à poser sa carte sur un paquet de son choix (exemple D).

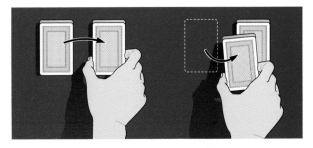

5 Aussitôt la carte posée, prendre le paquet D, le couper en deux et refermer la coupe. Pour le public, la carte choisie est perdue au milieu du paquet D.

6 Demander au spectateur d'empiler les paquets les uns sur les autres dans l'ordre qu'il souhaite.

7 Puis retourner le jeu faces en l'air. Pour retrouver la carte choisie, regarder où se trouvent un roi et un as séparés par une carte. La carte qui les sépare est celle choi-sie par le spectateur.

La bonne carte

Matériel

un jeu de 32 cartes, baguette magique.

Présentation du tour

1 Présenter le jeu en éventail à un spectateur et lui faire choisir une carte.

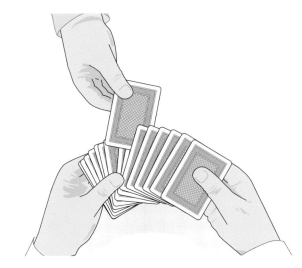

2 Lui demander de remettre sa carte dans le jeu. Faire passer la carte choisie au-dessus du jeu grâce à une méthode de saut de coupe (voir pages 34-35).

3 Annoncer : « Je vais retrouver cette carte grâce au coup de baguette magique qu'un spectateur va donner sur le jeu ». Demander au spectateur de choisir un chiffre entre 1 et 20.

4 En commençant par celle du dessus du jeu, placer les cartes une par une sur la table en les comptant. Compter jusqu'au chiffre choisi par le spectateur (exemple : 7). Attention ! Oublier volontairement que le spectateur doit taper sur le jeu avec la baguette.

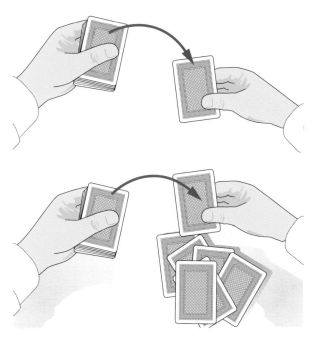

5 Au chiffre indiqué (ici 7), retourner la carte. Le public s'empressera de dire que ce n'est pas la bonne... C'est normal : le spectateur n'a pas donné le coup de baguette magique ! Lui demander alors de le faire.

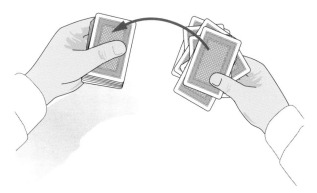

6 Reprendre le paquet qui se trouve sur la table (sans en changer l'ordre) et le reposer sur le jeu. Recommencer à compter jusqu'à 7 en commençant par la carte du dessus. À 7, retourner la carte, c'est la bonne !

Les couples

Matériel

un jeu de 32 cartes.

Présentation du tour

1 Sortir du jeu les quatre rois et les quatre dames.

Les placer sur la table de la façon suivante : roi de pique, puis, par-dessus, roi de trèfle, roi de cœur, roi de carreau, dame de pique, dame de trèfle, dame de cœur et enfin dame de carreau.

2 Refermer ce paquet de huit cartes et le donner à un spectateur. Lui demander de couper le paquet autant de fois qu'il le souhaite. Mais attention ! Il doit toujours remettre le paquet coupé sur le deuxième paquet.

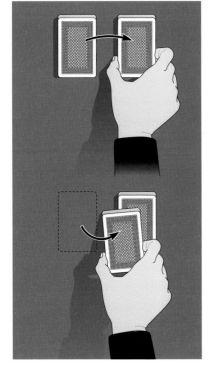

3 Lorsque le spectateur a terminé ses coupes, reprendre le paquet en main gauche et le placer derrière son dos.

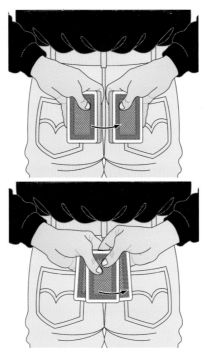

4 La main droite aussi passe dans le dos. Le pouce gauche pousse la première carte dans la main droite puis pousse une deuxième carte par-dessus. Recommencer les mêmes gestes avec la troisième et la quatrième carte. Ainsi, les quatre cartes sont inversées en main droite.

5 Lorsque les quatre cartes sont passées en main droite, les replacer au-dessus du paquet tenu en main gauche.

6 Le pouce et le majeur droits font maintenant glisser la carte du dessus et celle du dessous en main droite.

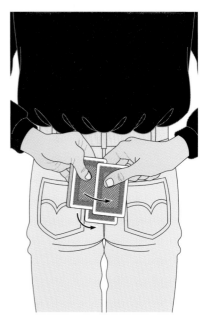

7 Présenter ces deux cartes au public. C'est un couple de même famille ! Repasser la main droite dans le dos et recommencer exactement les mêmes mouvements qu'à l'étape 6 afin d'obtenir les trois autres couples.

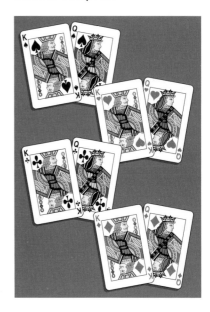

Matériel

un jeu de 32 ou de 52 cartes.

Préparation du tour

1 Sortir du jeu les quatre dames et deux cartes quelconques. Placer les 2 cartes quelconques sous les dames.

2 Égaliser les deux cartes quelconques sous la dernière dame. Tenir le jeu en éventail en main droite.

Présentation du tour

1 Montrer l'éventail des quatre dames au public. Retourner l'ensemble sur le reste du jeu de cartes tenu en main gauche.

2 Prendre la première carte et, sans la retourner, la placer au milieu du jeu. Puis prendre la suivante et la placer également au milieu du jeu.

3 Mettre la suivante sous le jeu. Annoncer à chaque fois que la carte déplacée est une dame.

4 Poser le jeu sur la table. Le couper.

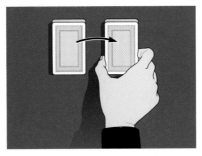

5 Refermer la coupe.

6 Retourner le jeu faces en l'air et l'étaler. Les quatre dames sont de nouveau réunies !

Faire apparaître ou disparaître un objet sous le nez du public... voilà qui semble à première vue impossible. Mais un magicien a bien plus d'un tour dans son sac ! La magie rapprochée (ou « close-up ») est très appréciée car les tours sont présentés près des spectateurs, en petit comité, à table ou debout. Les accessoires utilisés se trouvent partout (allumettes, sucres, pièces de monnaie ou élastiques) ou se fabriquent rapidement avec du papier. C'est l'idéal pour improviser à tout moment un divertissement en famille ou entre amis !

MAGIE

RAPPROCHÉE

Matériel

papier cartonné vert et jaune,
gommettes rondes
de différentes couleurs,
règle, ciseaux, colle, crayon,
patrons pages 182–183.

Préparation du tour

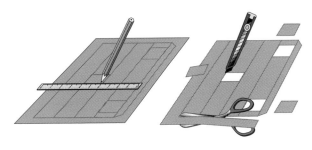

1 Reporter le patron de la cheminée sur le papier vert et celui du cube sur le papier jaune. Découper les éléments. Demander l'aide d'un adulte pour découper les fenêtres de la cheminée au cutter.

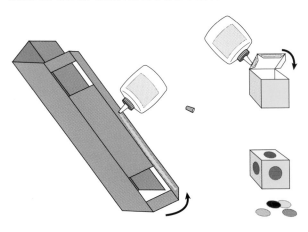

2 Construire les formes en collant les rabats. Ajouter des gommettes de couleurs différentes sur les faces du cube.

Présentation du tour

1 Tenir la cheminée en main gauche, les deux fenêtres tournées vers le public et l'ouverture secrète vers soi. Montrer le dé côté rouge (par exemple) et le glisser dans le tube.

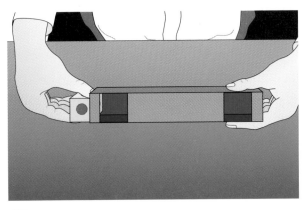

2 À l'aide de la baguette magique tenue en main droite, faire glisser le dé vers l'autre fenêtre en inclinant un peu la cheminée.

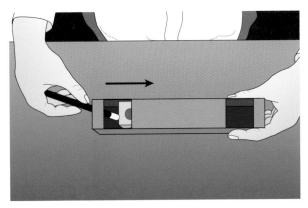

3 Pendant le trajet, le dé se retournera automatiquement au niveau de l'ouverture secrète. Il arrivera à l'autre fenêtre avec une couleur différente. À aucun moment du tour le public ne doit apercevoir cette ouverture.

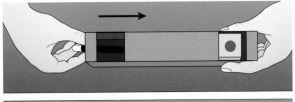

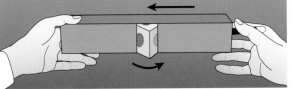

Pas possible !

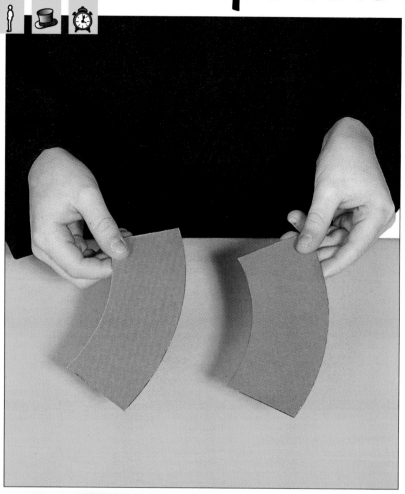

Présentation du tour

1 Du bout des doigts, tenir la figure verte en main droite et la rouge en main gauche. Rapprocher les mains. Demander à un spectateur quelle est la figure la plus grande, il répondra : « La verte ! ».

2 Frotter les figures l'une sur l'autre. Passer la rouge en main droite et la verte en main gauche. Demander au spectateur quelle est la figure la plus grande, il répondra cette fois-ci : « La rouge ! ».

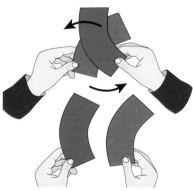

Il s'agit d'une simple illusion d'optique. Recommencer plusieurs fois. Finir en mettant les deux figures l'une sur l'autre : elles sont exactement de la même taille !

Matériel

feuille de papier cartonné, crayon à papier, peinture (rouge et vert), pinceau, patron page 185.

Préparation du tour

Reporter deux fois le patron de la figure sur le papier cartonné. Découper. Peindre une figure en vert et l'autre en rouge. Bien laisser sécher.

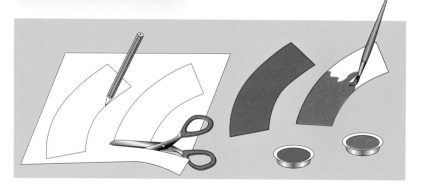

Lévitation

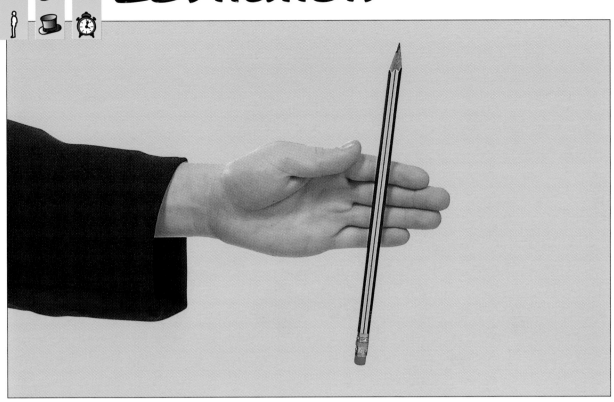

Matériel

un morceau de fil invisible (pour ourlet de pantalon),
un crayon à papier.

Préparation du tour

Avec le fil, faire une boucle un peu lâche autour de l'index et du majeur. La glisser au bout des doigts.

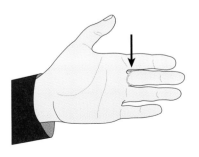

Présentation du tour

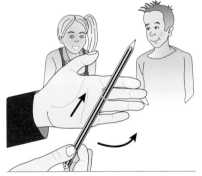

1 Montrer le crayon au public. Puis, paume vers soi afin que le public ne le voit pas, le glisser dans la boucle secrète tout en le faisant tourner vers le haut.

2 Lâcher le crayon et tourner la paume de la main vers le public, le crayon semble tenir tout seul ! Le retirer discrètement de la boucle et le montrer au public, il n'est pas truqué.

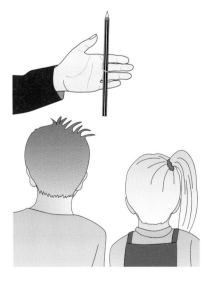

Minuscule

Matériel

un grand dé
et un dé miniature
en bois,
papier cartonné vert,
colle, règle,
perceuse,
baguette magique,
patron page 186.

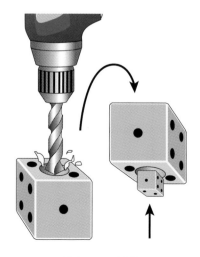

Préparation du tour

1 Demander à un adulte de percer un trou au centre du grand dé. Ne pas percer le trou sur toute la profondeur du dé mais seulement sur la moitié.

Le diamètre du trou doit permettre de loger le dé miniature à l'intérieur, sans forcer.

2 Reporter le patron de l'étui du grand dé sur le papier vert. Découper et coller les rabats. Cet étui doit faire 2 mm de plus que la taille du grand dé. Adapter le patron s'il ne correspond pas à la taille du dé.

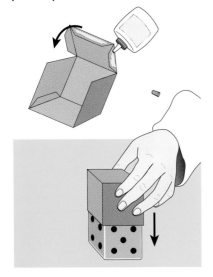

3 Recouvrir le petit dé avec le grand.

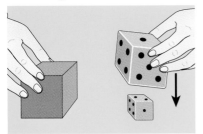

2 Recouvrir le grand dé avec l'étui.

4 Le public va voir apparaître un dé minuscule à la place du grand !

Présentation du tour

1 Présenter le grand dé au public. Attention à ne pas le soulever. Placer l'étui à côté.

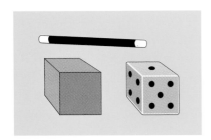

3 Donner un petit coup de baguette magique dessus. À l'aide du pouce et du majeur appuyer fermement sur l'étui pour soulever le grand dé en même temps.

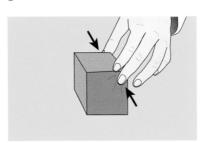

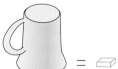

1, 2, 3...

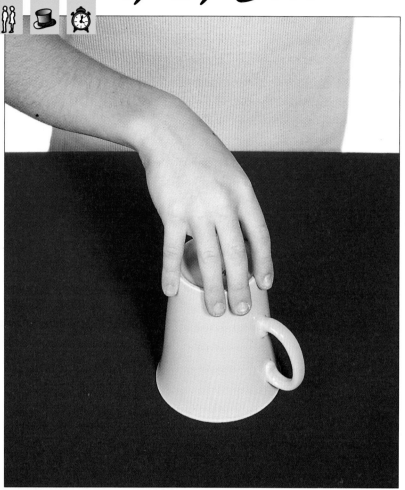

Matériel

une tasse à café,
3 sucres.

Présentation du tour

1 Choisir deux personnes dont l'une sera complice. Donner la tasse de café au complice et les 3 sucres à l'autre personne.

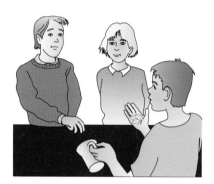

2 Tourner le dos et demander à celui qui a les sucres d'en poser 1, 2 ou 3 sur la table. Puis demander au complice de recouvrir le sucre (ou les sucres) avec la tasse.

Préparation du tour

Pour réaliser ce tour, il est nécessaire d'avoir un complice. Convenir avec lui d'un code pour les nombres de 1 à 3. Par exemple, si l'anse est orientée vers la gauche, cela veut dire 1. Si elle est orientée au milieu, cela veut dire 2 et vers la droite, cela veut dire 3.

Un sucre !

3 Lorsque c'est terminé, il suffit de se retourner et de regarder dans quel sens le complice a orienté l'anse de la tasse. Il est alors très simple, grâce au code établi, d'annoncer combien de sucres se trouvent dessous.

Disparition

Matériel

dé à coudre, foulard, chapeau.

Préparation du tour

Avant de présenter le tour au public, apprendre à faire le mouvement suivant : placer le dé sur l'index et plier l'index de façon à venir coincer le dé dans la fourche du pouce.

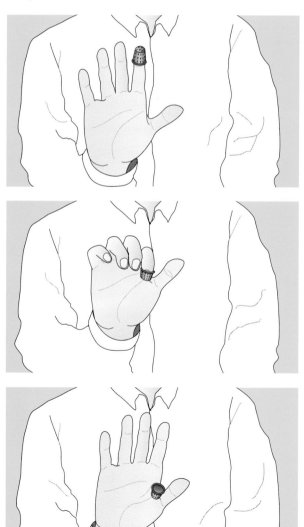

Présentation du tour

1 Montrer au public le dé sur l'index. Tenir le foulard de l'autre main.

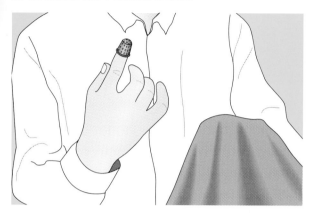

2 Recouvrir l'index avec le foulard. Sous prétexte d'ajuster correctement le foulard, venir coincer le dé dans la fourche du pouce. Retendre immédiatement l'index sous le foulard.

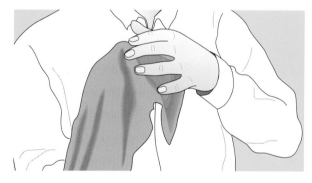

3 Retirer le foulard : le dé a disparu ! Secouer le foulard pour montrer qu'il est vide. Puis passer le foulard dans la main où se trouve encore le dé pour le récupérer et ranger l'ensemble dans le chapeau.

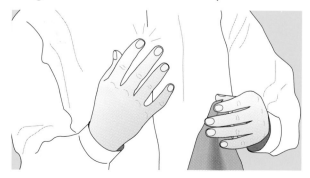

La bobine s'évade

Matériel

2 morceaux
de ficelle,
une grosse bobine
de fil.

Préparation du tour

1 Plier les deux ficelles en deux. Appelons-les A et B.

A

B

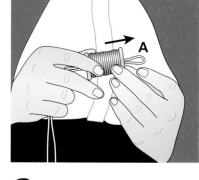

2 Enfiler la ficelle A par son milieu dans la bobine et la faire passer de l'autre côté. La ficelle forme une boucle d'un côté.

3 Prendre l'autre ficelle (B) par son milieu et la passer dans la boucle de la ficelle A.

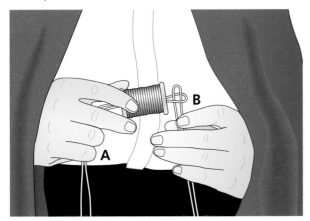

4 Tirer sur la ficelle A pour faire rentrer ce faux nœud à l'intérieur de la bobine.

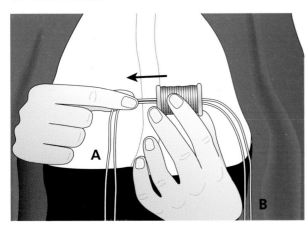

Présentation du tour

1 Montrer la bobine de fil qui se trouve au milieu des deux ficelles.

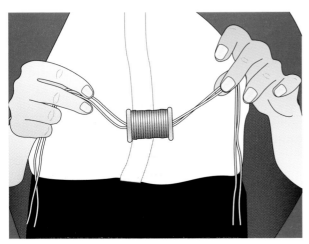

2 Poser la bobine sur la table. Saisir un morceau de la ficelle A et un morceau de la B et faire un nœud autour de la bobine.

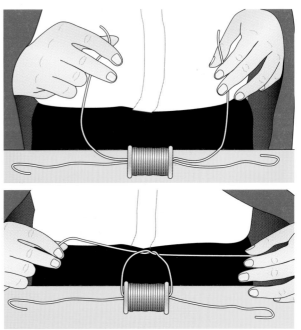

3 Demander à deux spectateurs de prendre les extrémités des ficelles. Placer la main droite sur la bobine et demander aux spectateurs de tirer sur les ficelles. Pendant ce temps, effectuer un mouvement de la main de droite à gauche.

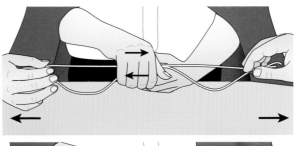

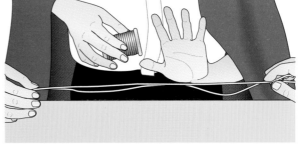

4 Par magie, la bobine s'est libérée des fils ! Montrer les éléments au public, aucun n'est truqué.

Drôle de boîte

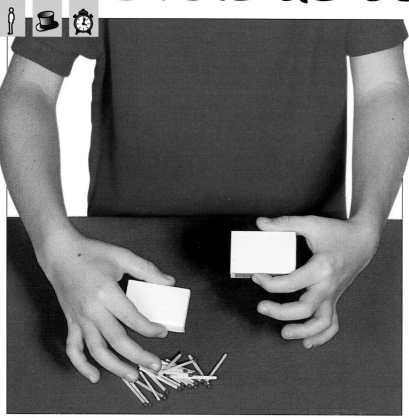

2 Retirer complètement le tiroir en continuant à appuyer sur les bords. Aucune allumette ne tombe, la boîte semble vide. En effet, l'allumette secrète maintient les autres.

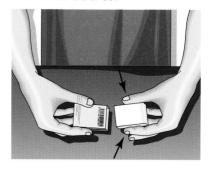

3 Remettre le tiroir. Secouer la boîte de droite à gauche pour décoincer l'allumette secrète qui va se mélanger aux autres.

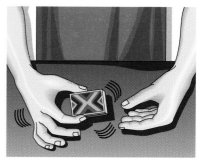

Matériel

une boîte d'allumettes.

Présentation du tour

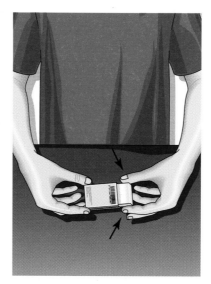

4 Ouvrir le tiroir, boîte retournée, toutes les allumettes tombent. Montrer au public que la boîte n'est pas truquée.

Préparation du tour

Couper une allumette de la largeur du tiroir. La coincer en travers, au milieu. Puis replacer le tiroir dans la boîte et refermer.

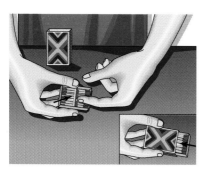

1 Montrer la boîte fermée au public. La retourner et l'ouvrir délicatement en tirant le tiroir de la main gauche. Le pouce et l'index appuient sur le tiroir.

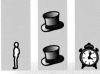

Multiplication

Matériel

8 pièces de monnaie,
une feuille de papier,
baguette magique.

Préparation du tour

1 Plier la feuille de papier en quatre.

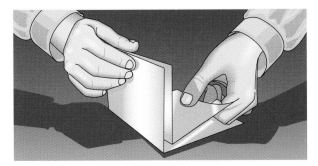

2 Glisser 4 pièces de monnaie au milieu de la feuille.

3 Déposer les 4 autres pièces sur le dessus et maintenir la feuille par un bord avec la main droite.

Présentation du tour

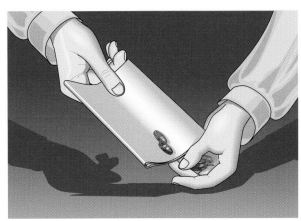

1 Faire compter le nombre de pièces posées sur la feuille (4). Incliner la feuille pour faire tomber les pièces en main gauche. Tenir la main gauche un peu fermée car les 4 autres pièces vont également tomber.

2 Fermer immédiatement la main gauche.

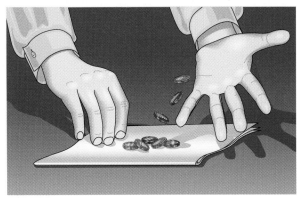

3 Donner un coup de baguette magique sur la main gauche. Ouvrir la main : il y a deux fois plus de pièces !

Seule et unique

Matériel

un morceau
de ficelle en coton
torsadé d'environ
50 cm de longueur.

Préparation du tour

*Ce tour nécessite une bonne
ficelle dès le départ. Celle-ci
doit être en coton torsadé
afin de pouvoir séparer les
brins.*

1 Plier la ficelle en deux.

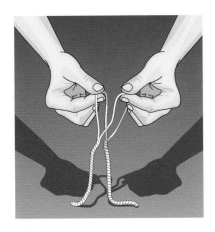

2 Au niveau de la pliure, séparer les brins en deux en les écartant de part et d'autre.

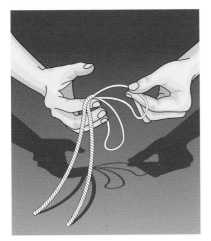

3 On obtient ainsi deux parties.

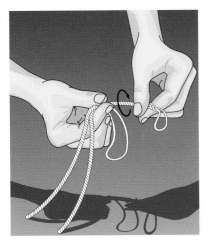

4 Torsader chaque fil entre les doigts.

5 Placer le pouce et l'index sur la jonction des deux brins afin de la cacher.

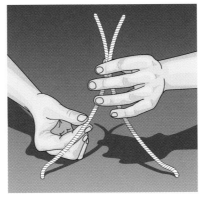

6 L'illusion est parfaite, le public va voir 2 ficelles avec 2 extrémités. Appelons les extrémités du haut A et B et celles du bas C et D.

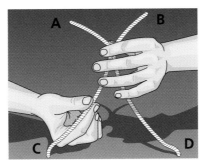

Présentation du tour

1 Montrer les « 2 ficelles » en cachant la jonction (comme à l'étape précédente). Demander à deux spectateurs de tenir les extrémités C et D.

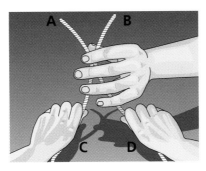

2 Tout en retirant sa main, refermer l'autre main sur les extrémités A et B (afin de cacher la jonction).

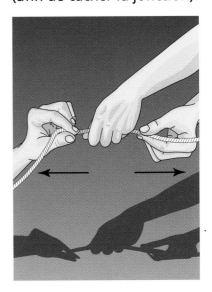

3 Demander à chacun des deux spectateurs de tirer doucement sur leur extrémité de ficelle. Cela va détordre les brins à l'intérieur de la main et redonner à la ficelle son apparence d'origine.

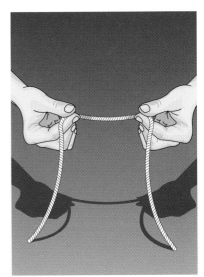

4 Retirer la main gauche et montrer qu'il n'y a plus qu'une seule ficelle.

Jolie glissade

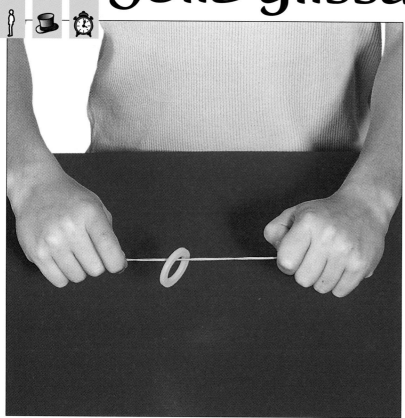

3 Pincer fermement l'élastique avec les doigts de la main droite et tirer dessus de l'autre main. L'anneau se trouve près des doigts droits.

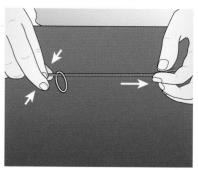

Présentation du tour

1 Relâcher discrètement la pression exercée par les doigts de la main droite. L'élastique va glisser invisiblement entre les doigts.

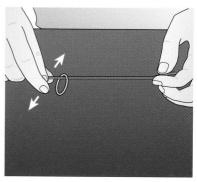

2 L'illusion est parfaite : l'anneau semble se déplacer sur l'élastique comme par magie !

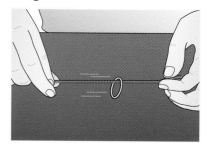

Matériel

un petit anneau, ciseaux, élastique.

Préparation du tour

1 Couper l'élastique.

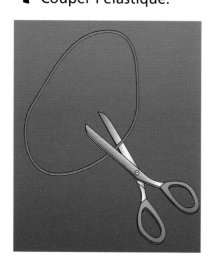

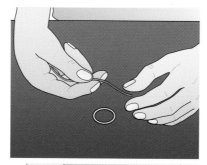

2 Cacher environ les deux tiers de l'élastique dans la main droite puis enfiler l'anneau sur le tiers qui dépasse.

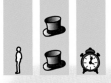

Super illusion

Matériel

un élastique, baguette magique.

Préparation du tour

1 Croiser un élastique entre le pouce et l'index de la main droite.

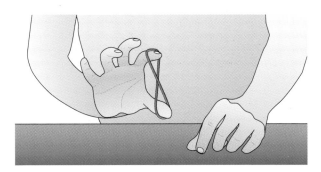

2 Introduire le pouce et l'index de la main gauche dans les deux ouvertures de l'élastique.

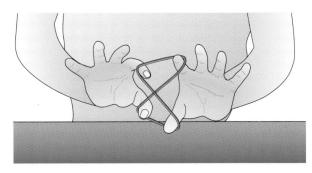

3 Tirer de part et d'autre de l'élastique pour le tendre au maximum.

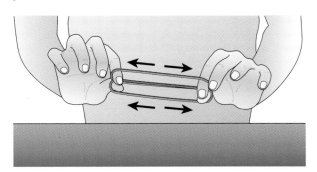

4 Avant de présenter le tour au public, apprendre les mouvements suivants : pincer le pouce et l'index de la main droite et ouvrir ceux de la main gauche.

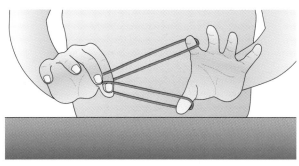

5 Puis faire le contraire, pincer le pouce et l'index de la main gauche et ouvrir ceux de la main droite.

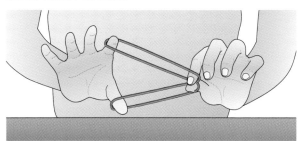

Présentation du tour

1 Faire les mouvements expliqués précédemment plusieurs fois de suite. Le public est persuadé qu'il y a deux élastiques.

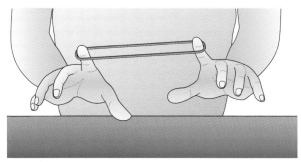

2 Détendre l'élastique et le placer dans la main. Donner un coup de baguette magique sur la main. Montrer qu'il n'y a plus qu'un élastique !

Matériel

boîte d'allumettes, cordelette, foulard, scotch double-face, cutter.

Préparation du tour

1 Retirer l'étui de la boîte d'allumettes. Demander à un adulte de décoller les deux parties de la tranche à l'aide d'un cutter.

2 Coller un morceau de scotch double-face à la place et refermer l'étui sans trop appuyer. Remettre le tiroir.

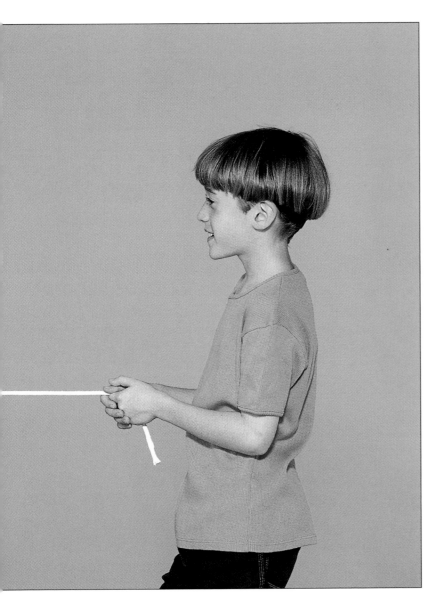

3 Glisser les mains sous le foulard qui doit cacher la boîte au spectateur.

4 Décoller les 2 parties de l'étui pour retirer la boîte. Puis appuyer très fort sur la tranche de l'étui afin de le recoller.

5 Sortir les mains et montrer l'étui qui s'est détaché ! Montrer le foulard, la cordelette et l'étui au public qui n'y verra que du feu !

Présentation du tour

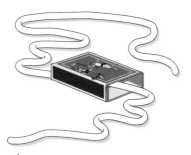

1 Sortir la boîte de sa poche. Enlever le tiroir et passer la cordelette à travers l'étui.

2 Demander à un spectateur de tenir les 2 extrémités de la cordelette. Recouvrir le tout avec un foulard.

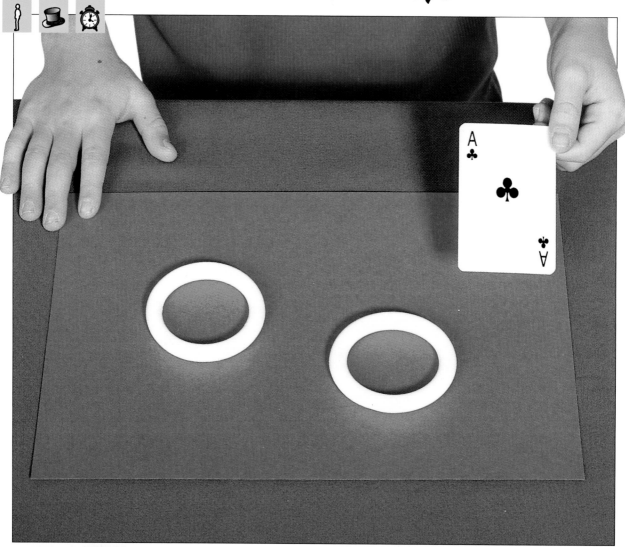

Les anneaux

Matériel

2 anneaux
de rideau,
feuille de papier
cartonné rouge,
une pièce de
monnaie, ciseaux,
colle, crayon,
une carte à jouer,
baguette magique.

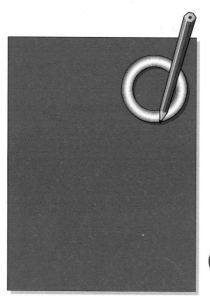

Préparation du tour

1 Poser un anneau sur le bord de la feuille cartonnée. Tracer un cercle autour à l'aide d'un crayon.

2 Découper le cercle et le coller sous l'anneau.

3 Recouper la feuille pour faire un tapis.

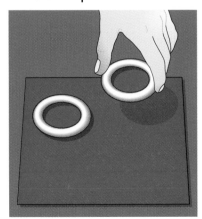

4 L'illusion est parfaite. Lorsque l'anneau truqué est posé sur le tapis on croit voir à travers.

Présentation du tour

1 Poser tout le matériel sur la table. Montrer la pièce.

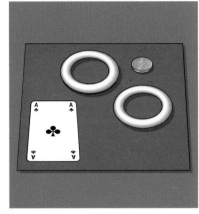

2 Recouvrir l'anneau non truqué avec la carte à jouer.

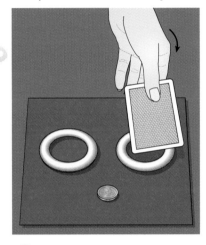

3 Puis placer cet ensemble sur l'anneau truqué.

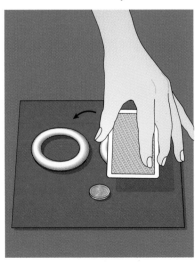

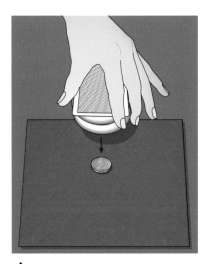

4 Placer le tout sur la pièce.

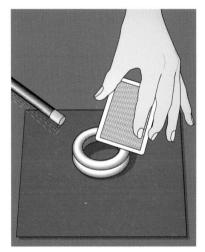

5 Donner un coup de baguette magique. Retirer la carte.

6 Retirer l'anneau non truqué... La pièce a disparu !

L'étoile filante

Matériel

papier cartonné
rouge, crayon,
papier blanc,
colle, compas,
ciseaux.

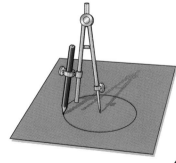

Préparation du tour

1 À l'aide du compas, tracer un cercle de 5 cm de diamètre sur le papier cartonné. Découper.

2 Dessiner deux étoiles sur le papier blanc. Les découper. En coller une en haut du cercle comme sur le schéma. Imaginons que ce soit un réveil, il indique midi.

3 Retourner le cercle et coller l'autre étoile comme s'il était 9 heures. De l'autre côté, l'étoile doit toujours indiquer midi.

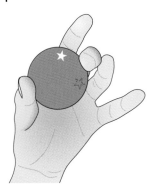

4 Tenir le cercle en main gauche à l'aide du pouce et du majeur. Positionner les doigts comme sur le schéma. L'étoile est dirigée sur midi.

Présentation du tour

1 À l'aide de l'index droit, pousser le cercle pour le retourner et montrer l'autre côté. Annoncer que de chaque côté du cercle se trouve une étoile dirigée vers le haut. Faire tourner le cercle plusieurs fois afin d'habituer le public à la position des étoiles.

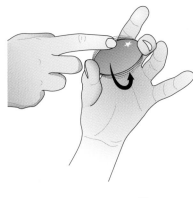

2 Lever le majeur gauche. À l'aide de la main droite, faire pivoter le cercle en orientant l'étoile vers la droite comme s'il était 3 heures.

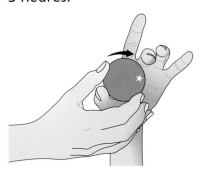

3 Remettre le majeur gauche en position. Puis montrer la position de l'étoile (3 heures) et annoncer que de l'autre côté cela devrait être la même chose.

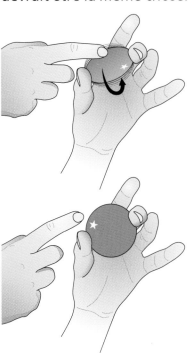

4 Faire tourner le cercle comme précédemment à l'aide de l'index droit... Incroyable ! L'étoile a pris la direction opposée (elle indique 9 heures).

Recommencer le tour en mettant l'étoile sur midi, elle indiquera la même chose de l'autre côté !

Le dé magique

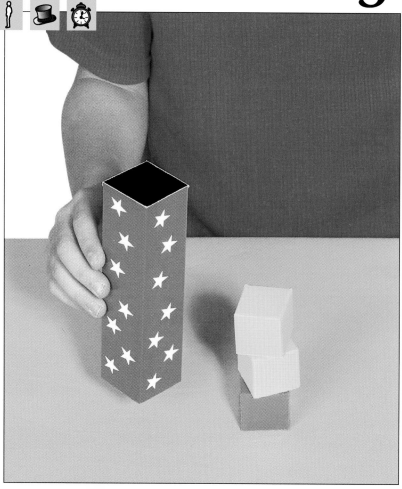

2 Découper tous les éléments. Demander l'aide d'un adulte pour découper la fenêtre de la cheminée au cutter. Coller au niveau des languettes pour assembler les formes. Coller les gommettes sur la cheminée.

Matériel

papier cartonné vert, jaune et bleu, colle, règle, cutter, crayon à papier, papier calque, gommettes étoiles, patrons page 184.

Préparation du tour

1 Reporter le patron de la cheminée sur le papier vert. Puis reporter trois fois le patron du dé sur le papier jaune et une fois sur le papier bleu.

3 Empiler les 4 dés en mettant le bleu au-dessous. Recouvrir avec la cheminée.

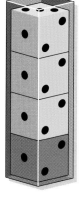

Présentation du tour

1 Poser deux dés jaunes et le dé bleu sur la table. L'autre dé jaune est déjà caché dans la cheminée. Prendre le dé bleu et le mettre dans la cheminée. Puis prendre les deux dés jaunes et les mettre dessus.

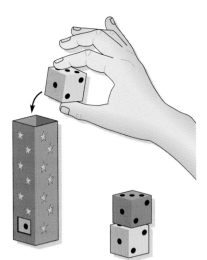

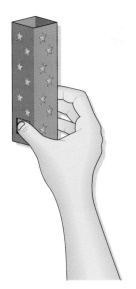

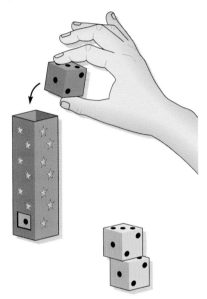

3 Reposer la cheminée sur la table (avec son dé secret à l'intérieur). Y remettre les dés. Prendre d'abord le jaune, puis le bleu et l'autre jaune. Annoncer que le dé bleu (qui est au milieu, entre les jaunes) va passer au-dessus de la pile.

4 Apprendre à positionner la main avant de montrer le tour au public. Mettre le trou de la cheminée vers soi. Tenir la cheminée en main droite en posant les doigts devant, côté public, et le pouce vers soi.

2 Soulever la cheminée en plaçant les doigts comme indiqué précédemment. Au niveau du dernier dé jaune, appuyer fermement sur le pouce pour l'enlever. Le public pense que le dé bleu est passé au milieu des dés jaunes.

4 Soulever la cheminée comme précédemment et enlever le dernier dé au passage. Le dé bleu se trouve au-dessus de la pile !

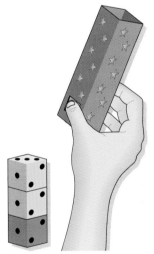

5 Soulever la cheminée vers le haut. Lorsqu'elle arrive à la hauteur du 4ᵉ dé, appuyer fermement au niveau du trou secret avec le pouce afin d'emporter le 4ᵉ dé au passage. Le public croit ainsi qu'il n'y a que trois dés et doit le croire pendant toute la durée du tour.

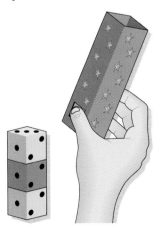

5 Montrer les trois dés au public, puis ranger la cheminée et le dé secret qui se trouve à l'intérieur.

Volatilisée !

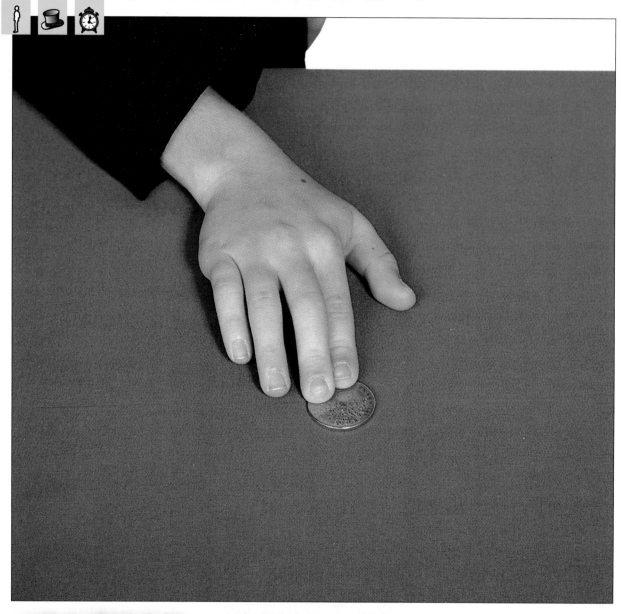

Matériel

2 pièces de
monnaie,
un jeu de cartes
avec son étui.

Préparation du tour

1 Placer le jeu de cartes sur
la table et cacher une des
deux pièces dessous. Placer
l'autre pièce devant soi sur
la table.

2 S'asseoir devant la table. Placer la main droite à plat sur la pièce. Glisser la main vers le bord de la table sans la soulever.

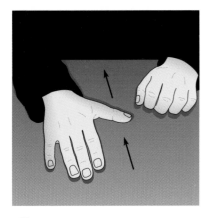

3 Lorsque la main arrive au bord de la table, laisser tomber la pièce sur les genoux tenus serrés.

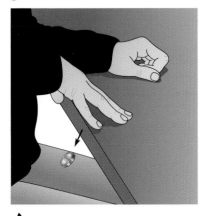

4 Refermer immédiatement la main comme si celle-ci attrapait la pièce.

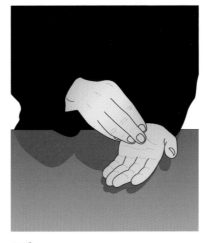

5 Rapprocher la main droite, toujours fermée, de la main gauche et faire semblant d'y déposer la pièce.

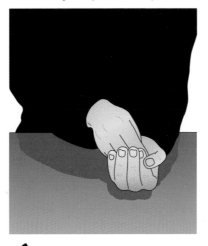

6 Refermer la main gauche comme si la pièce s'y trouvait encore.

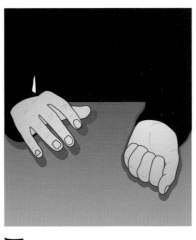

7 Retirer la main droite.

8 Ouvrir la main gauche, la pièce n'est plus là, elle s'est volatilisée !

S'entraîner plusieurs fois à réaliser ce geste afin d'avoir l'air tout à fait naturel.

Présentation du tour

1 Faire disparaître la pièce comme indiqué précédemment.

2 Où se trouve-t-elle ? Demander à un spectateur de soulever le jeu de cartes se trouvant sur la table. La pièce est passée dessous !

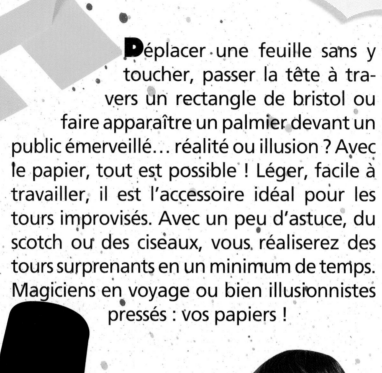

Déplacer une feuille sans y toucher, passer la tête à travers un rectangle de bristol ou faire apparaître un palmier devant un public émerveillé… réalité ou illusion ? Avec le papier, tout est possible ! Léger, facile à travailler, il est l'accessoire idéal pour les tours improvisés. Avec un peu d'astuce, du scotch ou des ciseaux, vous réaliserez des tours surprenants en un minimum de temps. Magiciens en voyage ou bien illusionnistes pressés : vos papiers !

MAGIE DU PAPIER

Réparée !

2 Annoncer qu'elle va disparaître et placer les morceaux dans sa poche droite. Voilà ! Elle a disparu ! Le public rira, pensant le tour terminé.

3 Ressortir la feuille de sa poche, poing fermé. Attention ! Prendre la feuille qui n'est pas déchirée. Garder le poing fermé, déposer cette feuille pliée dans la main d'un spectateur et lui fermer aussitôt la main.

Matériel
2 feuilles de papier essuie-tout, baguette magique.

Présentation du tour
1 Présenter l'autre feuille au public et la déchirer en plusieurs morceaux.

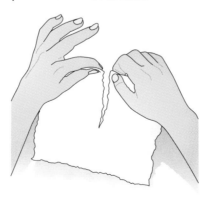

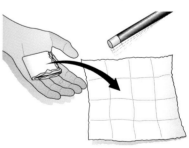

4 Donner un coup de baguette magique sur la main du spectateur. Lui faire ouvrir la main, puis déplier la feuille... Celle-ci est réparée !

Préparation du tour

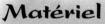

Plier une feuille en huit et la cacher dans sa poche droite.

Magnétisme

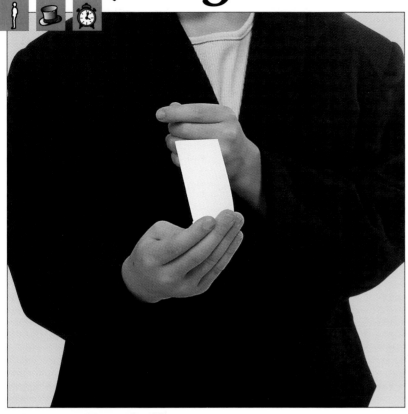

Matériel
feuille de papier, règle, crayon.

Préparation du tour

Sur le papier, tracer et découper un rectangle de 8 × 10 cm. Le plier en deux et déchirer sur 3 cm au niveau du pli.

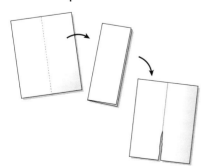

Présentation du tour

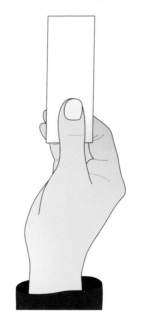

1 Tenir la feuille pliée en main droite, pouce d'un côté, doigts de l'autre. Positionner la déchirure en bas.

2 En bougeant le pouce vers le bas, la feuille va se plier. En le bougeant vers le haut, elle va se redresser.

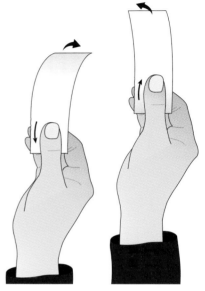

3 Placer en même temps l'autre main au-dessus de la feuille et suivre ses mouvements. Le public pensera qu'un fil invisible est attaché à la main... Montrer sa main, il n'y a pas de truc !

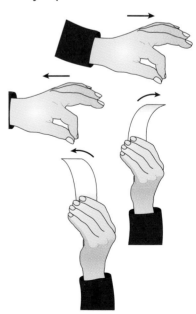

Drôle de figure

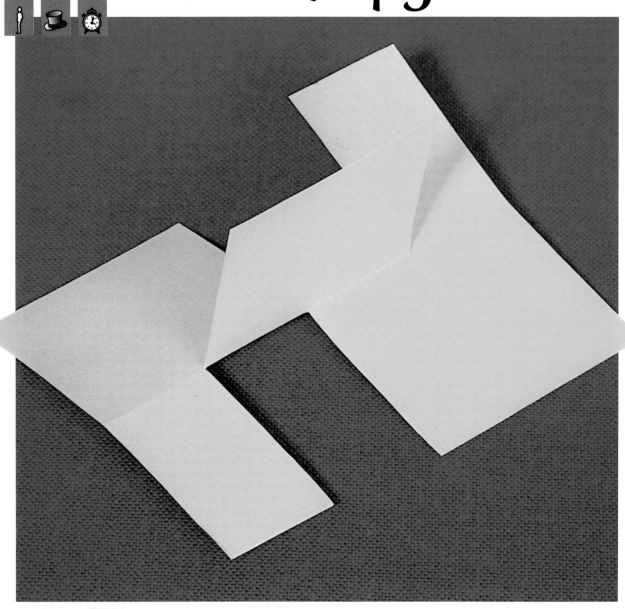

Matériel

feuilles de papier épais de couleur, ciseaux, règle, crayon.

Préparation du tour

1 Dans le papier, tracer et découper des rectangles de 8 × 10 cm.

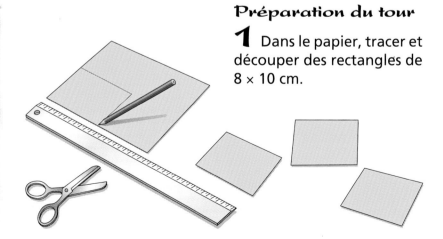

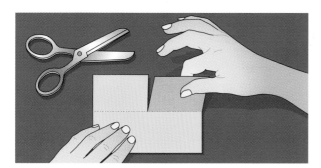

2 Plier un rectangle en deux dans le sens de la longueur. Déplier et couper un côté au milieu jusqu'au pli.

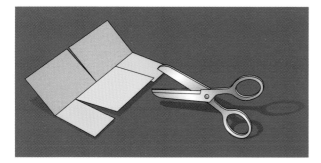

3 Puis couper l'autre côté en trois parties comme sur le schéma.

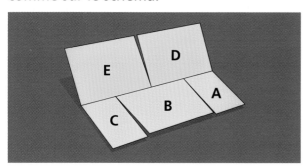

4 Appelons ces parties obtenues : A, B, C, D et E.

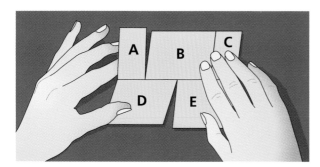

5 Placer la feuille avec D et E vers soi. Poser les doigts de la main droite sur B, C et E pour les maintenir.

6 Saisir A et D en main gauche et les faire pivoter pour rabattre A vers soi.

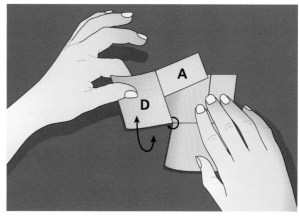

7 Relever la partie B perpendiculairement à la table.

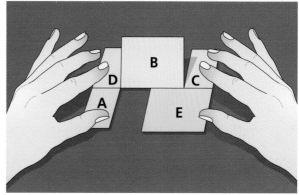

Présentation du tour

Montrer la figure au public, telle qu'à l'étape 7. Distribuer un rectangle de papier de même taille et des ciseaux à chacun des spectateurs et leur demander de faire la même figure. Attention ! Ils sont autorisés à regarder le modèle mais pas à le toucher.

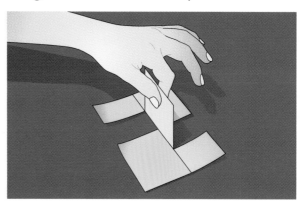

Passage

Matériel

bristol, ciseaux, règle, crayon.

Préparation du tour

Dans le bristol, tracer et découper un rectangle de 9 × 12 cm.

Présentation du tour

1 Montrer le rectangle de bristol et annoncer : « Je suis capable de passer la tête à travers ! ». Plier le rectangle dans le sens de la largeur et découper une fente au milieu en s'arrêtant à 5 mm du bord.

2 Déplier le rectangle et le plier dans le sens de la longueur. Découper des fentes tous les 1 cm environ en s'arrêtant à 5 mm des bords.

3 Puis faire la même chose de l'autre côté en découpant des fentes entre les premières. S'arrêter à 5 mm des bords.

4 Déplier le tout délicatement. Le rectangle s'étire en accordéon. Passer la tête à travers... Le défi est gagné !

Eurêka !

Matériel

une feuille de papier,
un crayon.

Préparation du tour

1 Déchirer la feuille en trois dans le sens de la largeur. Appelons ces 3 parties : A, B et C.

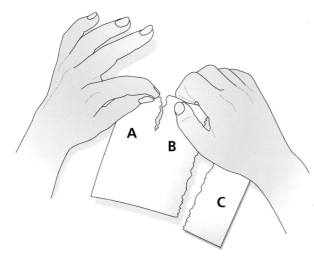

2 Bien observer ces 3 parties : A et C ont chacune un bord droit et un bord déchiré alors que B a les 2 bords déchirés. La partie B servira de repère pour le tour.

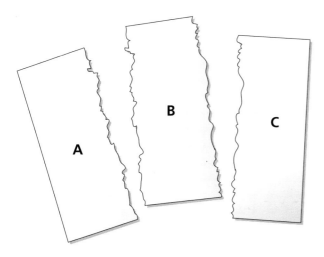

Présentation du tour

1 Prendre une feuille et la déchirer en trois comme ci-dessus. Donner la partie B à un spectateur.

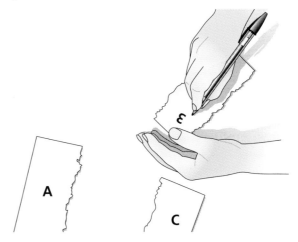

2 Lui demander d'écrire son chiffre préféré dessus. Bien entendu, il doit le faire secrètement.

3 Puis donner les deux autres parties (A et C) au spectateur et lui demander d'écrire un nouveau chiffre sur chacune d'elles.

4 Lorsque le spectateur a terminé, prendre les 3 morceaux de papier et annoncer : « Je vais retrouver votre chiffre préféré parmi ces 3 chiffres ». Il suffit de regarder quel papier est déchiré des 2 côtés : il s'agit du B où est inscrit le bon chiffre !

Les mains vides

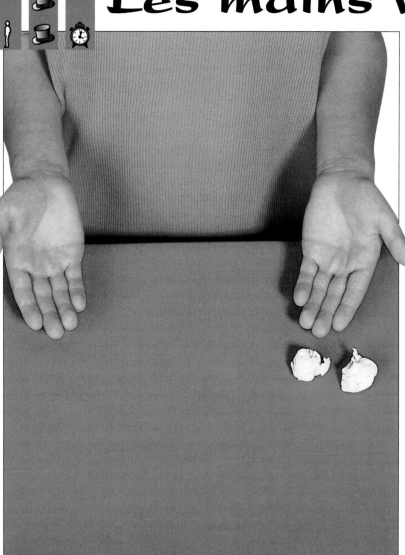

2 Présenter la boule de papier en main droite.

3 Faire semblant de la déposer dans la main gauche. En réalité, la boule reste en main droite, retenue à l'aide du pouce. Refermer la main gauche comme si la boule s'y trouvait.

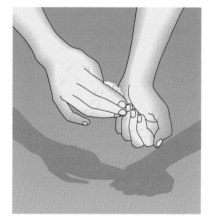

Matériel
mouchoir en papier, baguette magique.

Préparation du tour
1 Déchirer un mouchoir en deux. Faire deux boules avec les deux morceaux.

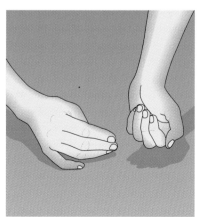

Présentation du tour

1 Présenter une boule de papier en main droite et faire semblant de la déposer dans la main gauche (comme expliqué précédemment).

2 Demander à un spectateur de donner un coup de baguette magique sur la main gauche.

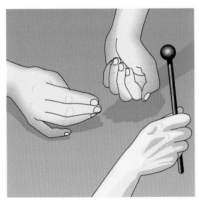

3 Ouvrir la main : la boule a disparu !

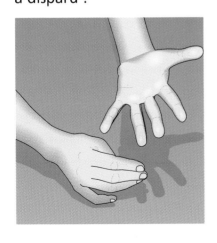

Variante

Présentation du tour

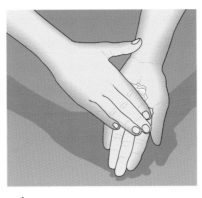

1 Sortir un mouchoir en papier et le déchirer en deux. Faire deux boules avec les morceaux.

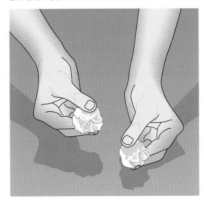

2 Déposer les boules sur la table, l'une à côté de l'autre.

3 Prendre la boule de droite avec la main droite et faire semblant de la déposer dans la main gauche (comme expliqué précédemment).

4 Saisir aussitôt l'autre boule avec la main droite. Le public est persuadé qu'il y a une boule dans chaque main.

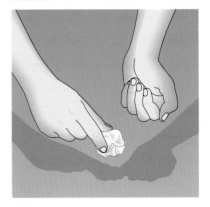

5 Poser les mains sur la table, poings fermés. Demander à un spectateur de donner un coup de baguette magique.

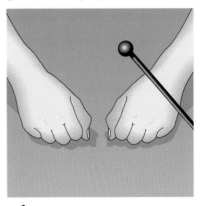

6 Ouvrir la main gauche : elle est vide ! La boule a disparu. Ouvrir alors la main droite : les deux boules s'y trouvent !

Palmier magique

Matériel

papier fin de couleur, scotch, ciseaux.

Préparation du tour

1 Dans le papier de couleur, tracer et découper 6 bandes de 10 × 30 cm. Puis les scotcher les unes à la suite des autres afin d'obtenir une longue bande de papier.

2 Bien enrouler la longue bande sans trop serrer. Glisser un élastique autour du rouleau afin de le maintenir.

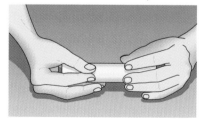

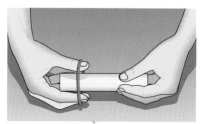

Présentation du tour

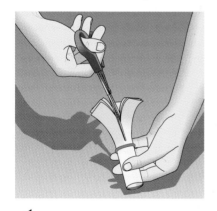

1 Faire 4 découpes d'environ 4 cm de longueur à 4 endroits du rouleau. (Demander à un adulte de le faire si l'épaisseur du papier est trop importante).

2 Rabattre vers l'extérieur les quatre parties découpées.

3 Glisser l'index à l'intérieur du rouleau et tirer vers le haut. Un superbe palmier apparaît sous les regards admiratifs des spectateurs !

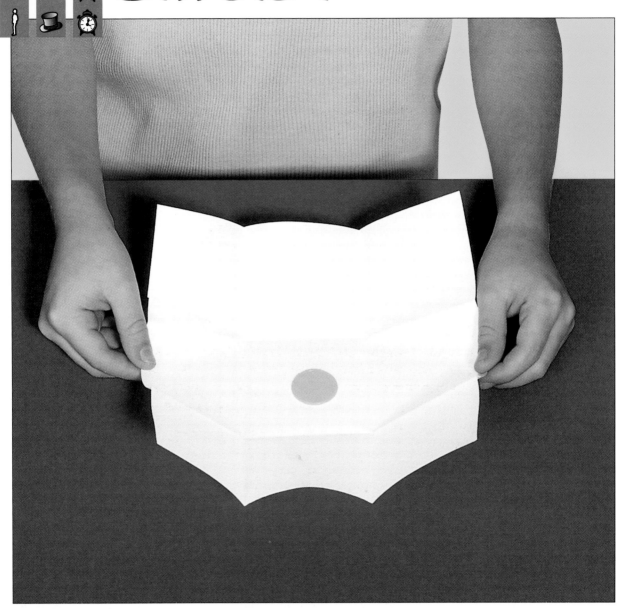

Matériel

papier, colle,
crayon à papier,
règle, un jeton
(ou une pièce
de monnaie),
baguette magique.

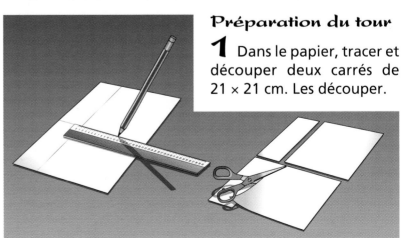

Préparation du tour

1 Dans le papier, tracer et découper deux carrés de 21 × 21 cm. Les découper.

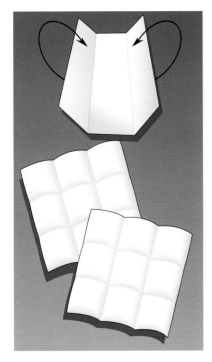

2 Tracer 3 bandes de 7 cm de large et marquer les plis. Puis tracer 3 bandes de 7 cm dans l'autre sens et marquer les plis.

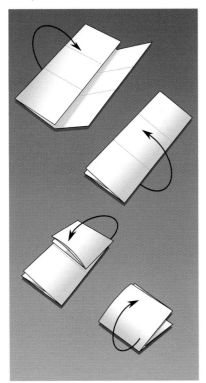

3 Plier chaque carré en quatre en suivant le schéma.

4 Coller les carrés ainsi pliés dos à dos comme sur le schéma. Appelons ces deux parties A et B. Puis déplier A et laisser B pliée.

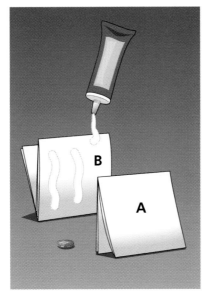

Présentation du tour

1 Placer le jeton (ou la pièce) au centre de la feuille A. Puis refermer la feuille. Attention à ne pas montrer la feuille B collée au dos !

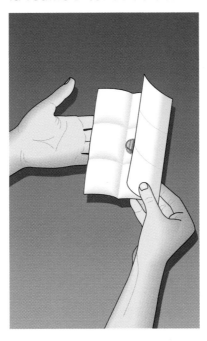

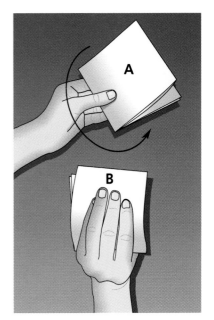

2 Se retourner pour prendre la baguette magique posée sur une table. Profiter de cet instant pour retourner A et faire passer B devant.

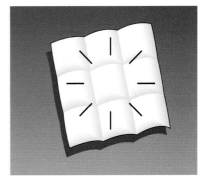

3 Puis déplier la feuille (B) devant le public... Le jeton a disparu !

Variante

En suivant le même principe qu'au tour précédent, on peut glisser auparavant un jeton d'une autre couleur dans la feuille B. À la fin du tour, le jeton a changé de couleur !

Avec la magie, tout est possible ! Devant un public plus nombreux on préférera faire disparaître des objets volumineux et colorés : le spectacle n'en sera que plus réussi. Quelle surprise de voir un foulard se transformer en une pluie de confettis, des cordes sectionnées se réparer ou de l'encre noire se métamorphoser en eau claire ! Pour éblouir l'assemblée, inutile de choisir des tours très compliqués. Quelques formules magiques pour distraire le public, un air mystérieux, un zeste d'humour et le tour est joué !

MAGIE GÉNÉRALE

Les foulards

Matériel

papier très épais (noir et jaune), ciseaux, colle, cutter, foulards, gommettes rondes, baguette magique, patrons page 188.

Préparation du tour

1 Reporter le patron n° 1 sur du papier noir. Demander à un adulte d'évider le rectangle au cutter. Décorer avec des gommettes. Plier la cheminée et coller le rabat.

2 Reporter le patron n° 2 sur du papier jaune et le n° 3 sur du papier noir. Découper. Plier et coller.

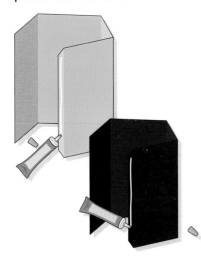

3 Placer les foulards dans la petite cheminée noire. Puis recouvrir cette cheminée avec la jaune et le tout avec la grande.

Présentation du tour

1 Le public voit une cheminée noire décorée possédant une ouverture où l'on aperçoit une cheminée jaune.

2 Soulever la grande cheminée et montrer qu'elle est vide.

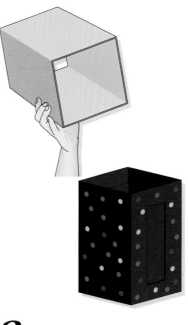

3 La remettre et retirer la cheminée jaune pour montrer qu'elle est vide. Le public ne voit pas la petite cheminée noire, restée à l'intérieur.

4 Replacer la cheminée jaune. Donner un coup de baguette magique. Plonger la main dans la petite cheminée noire et sortir tous les foulards !

Le cornet magique

Matériel

papier cartonné
rouge, ciseaux,
règle, colle,
crayon, jeton,
baguette magique,
patron page 191.

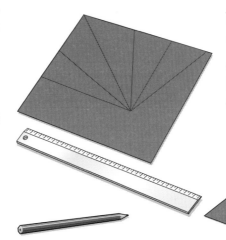

Préparation du tour

1 Reporter le patron du
cornet sur le papier rouge et
le découper. Appelons les
cinq parties A, B, C, D et E.

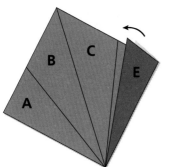

2

Encoller le bord de la partie E et la rabattre sur la partie D. Laisser sécher. Le cornet a ainsi une pochette secrète.

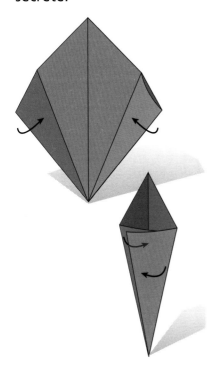

3

Plier les autres parties afin d'obtenir un cornet à 3 faces. Ne pas le coller.

Présentation du tour

1

Tenir le cornet en main droite, le coin le plus haut tourné vers le public. Le pincer doucement pour que la pochette secrète s'ouvre à l'intérieur.

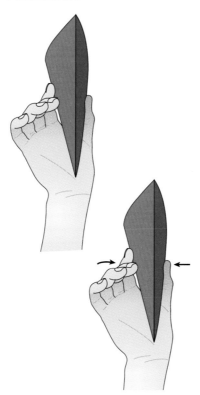

2

Présenter le jeton au public de la main gauche. Le déposer dans le cornet. En réalité on le glisse dans la pochette secrète.

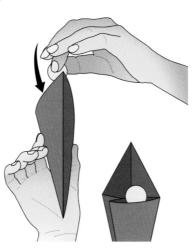

3

Demander à un spectateur de donner un coup de baguette magique. Puis pincer la pochette secrète avec les doigts de la main gauche afin de la maintenir fermée.

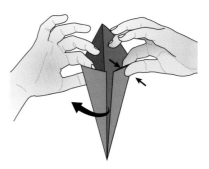

4

Déplier entièrement le cornet de la main droite tout en maintenant la pression des doigts gauches sur la pochette secrète. Le jeton a disparu !

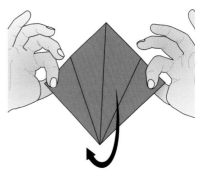

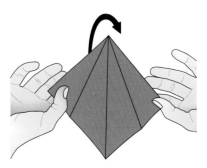

En multipliant les dimensions du cornet par 2 ou par 3, il est possible de faire disparaître de plus gros objets (foulards, cartes, etc.).

Pluie de confettis

Matériel

2 sacs en papier, colle, ciseaux, confettis, foulard.

Préparation du tour

1 Placer une bonne poignée de confettis à l'intérieur d'un des sacs.

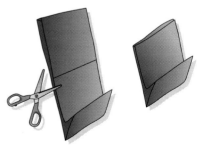

2 Découper l'autre sac au milieu de sa hauteur et conserver la partie inférieure.

1 Montrer le foulard au public. Le placer dans la pochette secrète du sac à confettis.

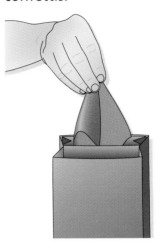

2 Fermer le sac avec la main.

3 Déchirer le fond du sac : une multitude de confettis en sort et le foulard a disparu !

3 Encoller un côté du petit sac et le coller à l'intérieur du grand comme sur le schéma. Laisser sécher. Le sac à confettis possède ainsi une pochette secrète.

Matériel

papier cartonné
de couleur, colle,
règle, ciseaux,
crayon, foulard,
baguette magique,
petite boule,
papier calque,
patron page 190.

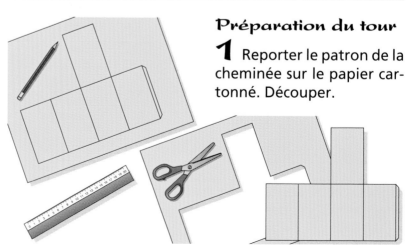

Préparation du tour

1 Reporter le patron de la cheminée sur le papier cartonné. Découper.

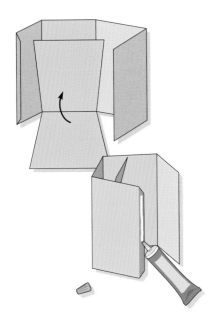

2 Plier selon les pointillés et rabattre le rectangle extérieur vers l'intérieur. Coller au niveau de la languette. Laisser sécher.

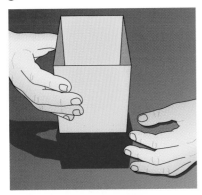

3 Pour pouvoir actionner le battant intérieur, soulever la cheminée avec la main droite et plaquer le battant contre la paroi avec les doigts de la main gauche.

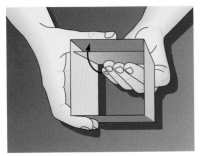

4 Il suffit ensuite de pincer le battant avec les doigts de la main droite et de montrer que la cheminée est vide. Cela permet de faire apparaître ou disparaître des objets.

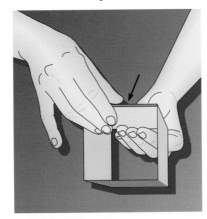

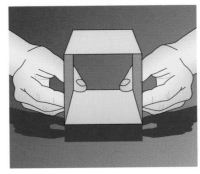

5 Placer la boule sur la table et la recouvrir avec la cheminée. Attention de bien placer la cheminée sur la boule et non la boule dans la cheminée, sinon le battant l'empêcherait d'être sur la table !

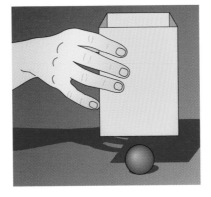

Présentation du tour

1 Montrer le foulard au public et le placer dans la cheminée.

2 Donner un coup de baguette magique et soulever la cheminée en exécutant les gestes expliqués précédemment. Le battant et le foulard sont plaqués contre la paroi.

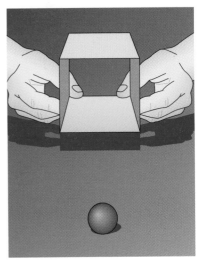

Le foulard a disparu, il s'est transformé en boule !

On peut aussi transformer un billet en pièce de monnaie, faire disparaître une bague, des petits objets, etc.

Matériel

feuilles de papier cartonné (rouge, vert, blanc, jaune), règle, crayon, feutre noir, colle, baguette magique, patron page 190.

Préparation du tour

1 Tracer un rectangle de 6 × 8 cm sur le papier vert et sur le rouge. Puis tracer un rectangle de 5,5 × 7,5 cm sur le papier blanc. Découper.

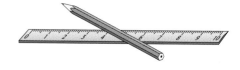

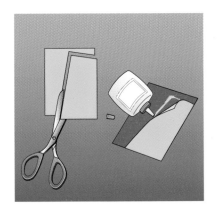

2 Reporter le patron de la forme sur le papier jaune. Découper. Puis la coller sur le rectangle rouge comme sur le schéma.

3 Écrire « Plus là ! » sur une face du rectangle blanc et « Vous pouvez m'applaudir » de l'autre côté.

4 Poser la carte verte sur la carte truquée et glisser la carte blanche en dessous. Tenir le tout en éventail. Poser le chapeau sur la table.

Présentation du tour

1 Tenir le chapeau d'une main et montrer au public qu'il est vide. Présenter les cartes en éventail de l'autre main, comme expliqué précédemment.

2 Le public voit seulement 3 cartes. Lui demander de bien se souvenir des 3 couleurs. Puis placer les cartes dans le chapeau sans montrer la carte blanche du dessous.

3 Donner un coup de baguette magique sur le chapeau et annoncer qu'une carte va disparaître.

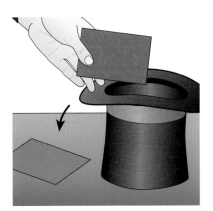

4 Sortir la carte verte du chapeau, puis la carte rouge truquée du côté rouge. Les placer sur la table en posant la rouge dessus.

5 Annoncer qu'il n'y a plus rien dans le chapeau. Secouer le chapeau, le public entendra le bruit d'une carte et sourira.

6 Sortir la carte blanche du côté « Plus là ! ». Le public pensera que l'autre côté de cette carte est jaune. Retourner la carte : le public applaudira. La carte jaune a bien disparu !

Le sac truqué

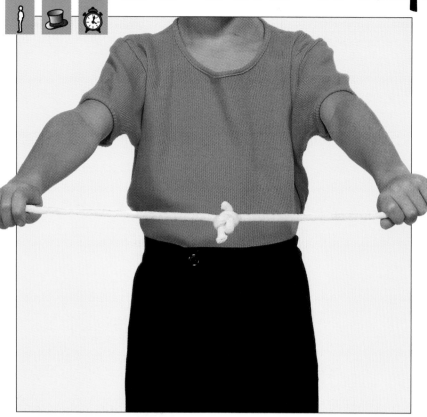

2 Demander à un adulte de coudre les 3 épaisseurs de tissu sur 3 bords. Laisser une ouverture en haut.

3 Le sac comporte ainsi 2 poches intérieures (A et B).

Matériel

tissu opaque de couleur, ciseaux, fil assorti, crayon, aiguille, 2 cordes de 90 cm et une corde de 10 cm, baguette magique.

Réalisation du sac

1 Dans le tissu, tracer et découper un rectangle de 22 × 54 cm et un rectangle de 22 × 27 cm. Poser le petit rectangle sur le grand, bien aligné en haut. Puis refermer le bas du grand rectangle sur le petit.

Utilisation du sac

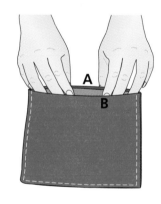

1 À l'aide des deux mains, maintenir le tissu central plaqué contre la paroi A. Lorsqu'un spectateur prendra un objet dans le sac, il plongera la main dans le compartiment B sans s'apercevoir qu'il y a 2 compartiments.

Préparation du tour

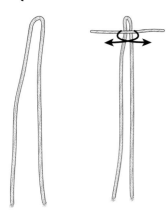

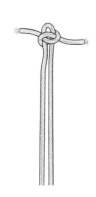

1 Plier une des grandes cordes en deux. Nouer le petit morceau de corde de 10 cm juste au-dessous de la pliure.

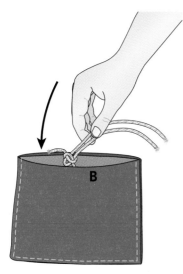

2 Placer cette corde dans le compartiment B du sac truqué.

Présentation du tour

1 Montrer l'autre grande corde et demander à un spectateur de la couper en deux. Placer les 2 morceaux ainsi coupés dans le compartiment A du sac.

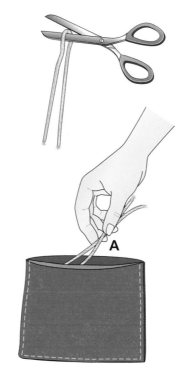

2 Annoncer que, par magie, la corde coupée va se réparer. Demander à un spectateur de donner un coup de baguette magique sur le sac.

3 Puis plaquer le tissu central du sac contre la paroi A et demander à un spectateur de plonger sa main dans le sac.

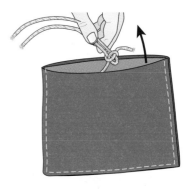

4 Ayant plongé sa main dans le compartiment B, le spectateur va en retirer la corde avec le nœud.

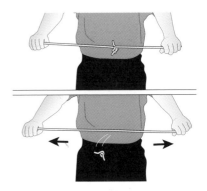

5 Drôle de réparation ! La corde coupée a maintenant un nœud... Saisir la corde et tirer dessus pour détacher le nœud. La corde est bien réparée !

Drôle de tube !

Matériel

une feuille de papier cartonné de couleur de 20 × 30 cm, colle ou scotch, un tube en carton de petit diamètre, 2 foulards de couleurs différentes, baguette magique.

Préparation du tour

1 Recouper le tube si nécessaire afin qu'il soit un peu plus petit que la largeur de la feuille de papier cartonné.

Le coller ou le scotcher au milieu. Laisser sécher.

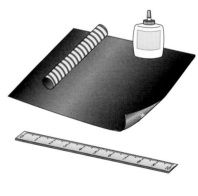

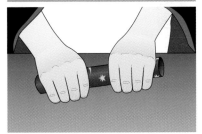

2 Plier la feuille en deux. Puis l'enrouler en même temps que le tube.

3 Avant de présenter le tour au public, glisser un foulard bleu (par exemple) dans le tube.

Présentation du tour

1 Tenir le tube en main. L'ouvrir en tirant de chaque côté afin de montrer que ce n'est qu'une feuille vide. (Le public ne doit pas apercevoir le petit tube collé au dos).

2 Enrouler le tube comme indiqué précédemment.

3 Glisser un foulard d'une autre couleur (jaune par exemple) par le haut du tube.

4 Pousser le foulard jaune à l'aide de la baguette magique. Au fur et à mesure qu'il pénètre dans le tube, le foulard bleu apparaît en bas.

5 Lorsque le foulard jaune est complètement entré dans le tube, sortir le foulard bleu. Dérouler le tube : il est vide !

Crayon mystère...

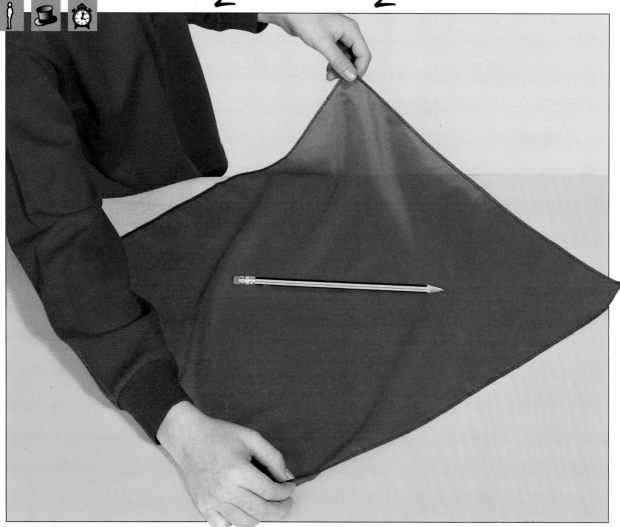

Matériel
1 grand foulard,
2 crayons en bois
(1 rouge et 1 jaune).

Présentation du tour

1 Poser le crayon rouge sur la table. Le recouvrir avec le foulard. Le crayon doit se trouver au centre.

2 Placer le crayon jaune juste à côté du rouge, au centre du foulard.

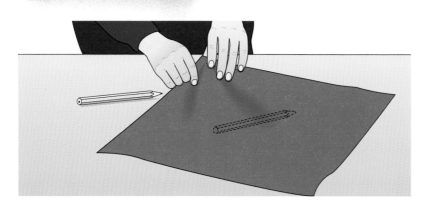

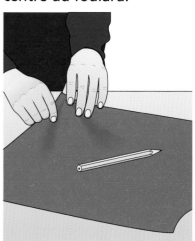

3 Soulever le coin A du foulard (celui qui se trouve vers soi) et le rabattre sur le coin B. Le coin A doit dépasser d'environ 1 cm et recouvrir complètement le coin B. Le crayon jaune se trouve caché et le rouge apparaît le long de la diagonale du foulard.

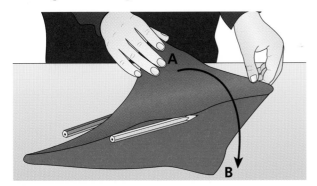

4 Enrouler le foulard à partir de sa diagonale (qui se trouve vers soi) en emportant le crayon rouge en même temps.

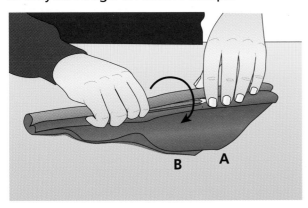

5 Lorsque le coin B apparaîtra vers soi, arrêter de rouler et le saisir de la main droite. Poser l'index gauche sur le coin A.

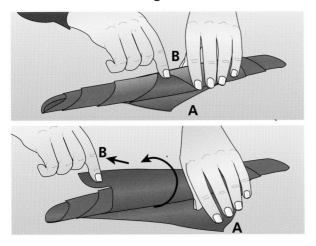

6 Tirer sur le coin B dans sa direction, le foulard se déroule : c'est le crayon rouge qui apparaît !

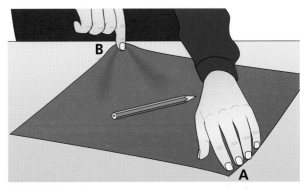

Disparition

En suivant le même principe on peut également faire disparaître une pièce.

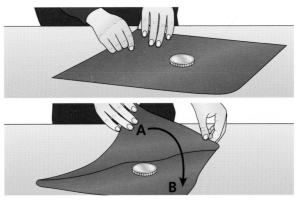

1 Poser une pièce au centre du foulard. Soulever le coin A pour recouvrir le coin B.

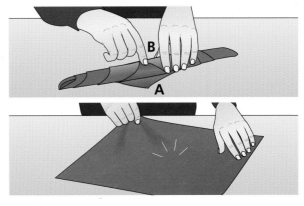

2 Rouler le foulard comme ci-dessus jusqu'à l'apparition du coin B. Tirer dessus en maintenant le coin A : la pièce a disparu !

Le foulard magique

Matériel

une balle de ping-pong,
un petit foulard de couleur,
peinture de même couleur,
pinceau, papier de verre.

Préparation du tour

1 Peindre la balle de ping-pong de la même couleur que le foulard. Laisser sécher.

2 Frotter la balle sur du papier de verre jusqu'à obtenir un trou d'environ 2 cm de diamètre.

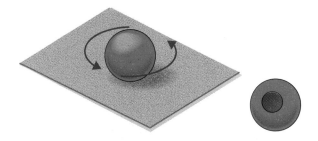

Présentation du tour

1 Cacher la balle dans la main gauche et montrer le foulard de la main droite.

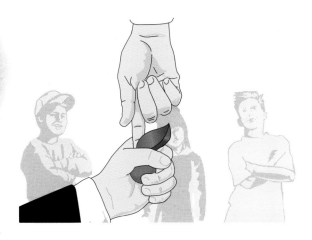

2 Fermer le poing gauche et y introduire le foulard à l'aide de l'index droit. En réalité le foulard pénètre dans le trou de la balle de ping-pong.

3 Lorsque le foulard est entièrement rentré dans la balle, souffler sur la main gauche.

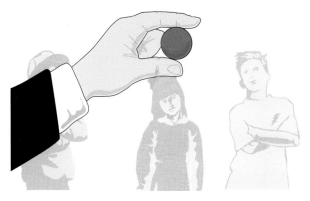

4 Ouvrir la main gauche : le foulard s'est transformé en balle de ping-pong !
Bien cacher le trou à l'aide du pouce.

Reconstitution

Matériel

un ruban d'environ 1,50 m, ciseaux, épingle à nourrice, fil élastique.

Préparation du tour

1 Couper environ 20 cm de ruban et le nouer aux extrémités. Attacher un fil élastique à la boucle formée par le ruban.

2 Poser sa veste sur la table. Poser ensuite le ruban en bas de la manche gauche. Mesurer la longueur jusqu'à l'emmanchure (voir schéma). Couper l'élastique à cette longueur et le nouer à une épingle à nourrice.

3 Fixer l'épingle à nourrice à l'intérieur de la veste comme sur le schéma. Le ruban doit arriver au niveau du poignet de la manche. Adapter la taille de l'élastique si nécessaire.

4 Enfiler la veste et sortir la boucle du ruban à l'aide de la main droite. Maintenir cette boucle en main gauche entre le pouce et l'index.

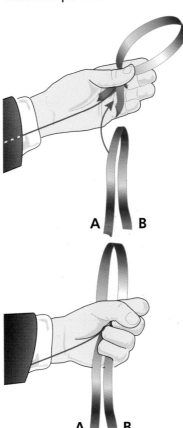

A   B

A   B

5 Plier le reste du ruban en deux, le placer dans la main gauche et refermer la main. Le public imaginera voir un seul ruban plié en deux. Appelons les extrémités A et B.

Présentation du tour

1 Installer les rubans comme expliqué ci-dessus et demander à un spectateur de couper la boucle.

2 Demander à deux spectateurs de saisir chacun une extrémité du ruban (A et B) et de tirer dessus en même temps. Ouvrir la main gauche au même moment : cela fera disparaître la boucle coupée dans la manche. Le public verra alors un ruban réparé !

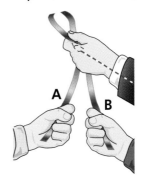

A   B

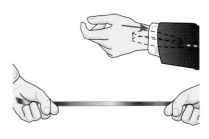

Vive la couleur !

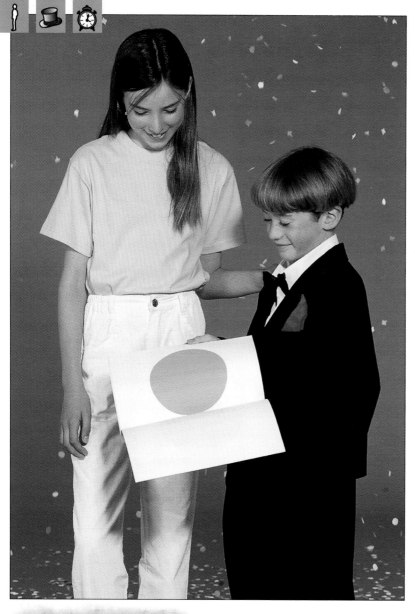

2 Puis tracer une ligne du repère jusqu'au coin en bas. Faire de même une page sur deux pour tout le cahier. Découper.

3 Sur toutes les pages non découpées, tracer cette fois-ci un repère à 5 mm du bord en bas. Puis tracer une ligne jusqu'au coin en haut. Découper.

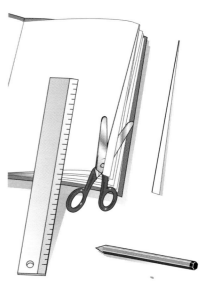

Matériel

un cahier de peu de pages, compas, feutres de couleur, ciseaux (variante : gommettes de couleur de la taille des confettis, confettis), règle, crayon à papier.

Préparation du tour

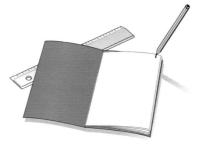

1 Tracer un repère à 5 mm du bord en haut de la pre-mière page de droite.

4 Tracer maintenant un cercle sur toutes les pages droites du cahier.

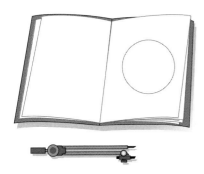

5 Colorier les cercles uniquement sur les pages coupées en haut. Le faire une page sur deux pour tout le cahier.

Présentation du tour

1 Feuilleter rapidement le cahier en plaçant le pouce droit en haut des pages. Le public voit défiler des cercles blancs.

2 Refermer le cahier. Le feuilleter maintenant en plaçant le pouce en bas des pages. Le public verra défiler des cercles de couleur !

Variante

Préparation du tour

1 Préparer un cahier comme précédemment sans y tracer de cercles.

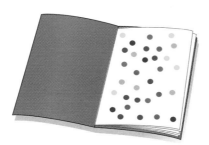

2 Coller des gommettes sur toutes les pages de droite coupées en haut.

Présentation du tour

1 Feuilleter rapidement le cahier en plaçant le pouce droit en haut des pages. Le public voit défiler des pages blanches.

2 Refermer le cahier. Donner des confettis à un spectateur et lui demander de les jeter sur le cahier.

3 Feuilleter maintenant le cahier en plaçant le pouce en bas des pages : le public verra défiler les gommettes et pensera que le cahier s'est rempli de confettis !

Que d'eau !

Matériel

un verre,
bristol blanc,
feutre noir,
ciseaux,
plastique noir,
fil à coudre
invisible,
scotch invisible,
une perle noire,
un foulard.

Préparation du tour

1 Couper une bande de plastique noir de plus petite largeur que la hauteur du verre. L'enrouler en tube pour qu'elle puisse entrer à l'intérieur du verre. Scotcher.

2 Retirer le plastique du verre. Couper environ 10 cm de fil invisible. Y nouer la petite perle noire et scotcher l'autre extrémité en haut du plastique.

4 Tracer et découper une bande de 15 x 3 cm dans le bristol. Colorier une face au feutre noir sur 5 cm.

3 Replacer le tout dans le verre en laissant le fil pendre à l'extérieur. Puis remplir le verre avec de l'eau. (Le niveau d'eau doit arriver au-dessous du plastique).

Présentation du tour

1 Annoncer au public : « Voici un verre d'encre noire ». Présenter la bande de papier du côté blanc et la tremper dans le verre.

2 Faire pivoter la bande et la ressortir du côté noir. Le public continuera à croire que le verre contient de l'encre.

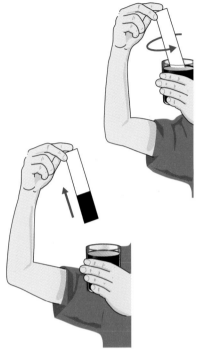

3 Recouvrir le verre avec le foulard. Pincer la petite perle à travers l'étoffe et soulever le foulard : le plastique partira en même temps. Le public verra l'encre transformée en eau !

Baguette magique

Matériel

bouteille vide en plastique, fil à coudre invisible, baguette magique, scotch invisible.

Préparation du tour

1 Couper un morceau de fil invisible de la longueur de son bras. Enrouler une extrémité autour de la baguette et scotcher.

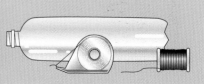

2 Nouer l'autre extrémité du fil à sa ceinture de pantalon (ou l'attacher à l'aide d'une épingle à nourrice) et enfiler sa veste.

Présentation du tour

1 Tenir la bouteille de la main gauche et placer la baguette dedans à l'aide de la main droite. Le fil noué autour de la baguette doit se trouver au fond de la bouteille.

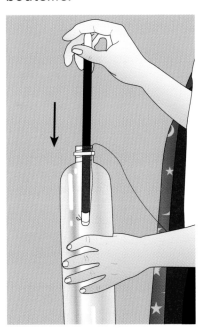

2 Laisser tomber la baguette au fond de la bouteille. Faire quelques gestes magiques de la main droite au-dessus.

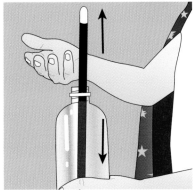

3 Tendre doucement le bras gauche tout en continuant les gestes magiques de la main droite. Le fil invisible va se tendre, tirer sur la baguette et la soulever.

4 Replier ensuite doucement le bras gauche pour faire à nouveau entrer la baguette dans la bouteille.

On peut recommencer l'expérience plusieurs fois. Le public, ne voyant pas le fil invisible, croira que la baguette est vraiment magique !

Attention à ne pas trop tendre le bras afin de ne pas faire sortir la baguette de la bouteille !

On peut réaliser le même tour en remplaçant la bouteille en plastique par un tube en carton.

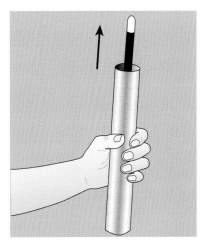

Chapeau vole

Matériel

chapeau, fil à coudre invisible, un grand foulard.

Préparation du tour

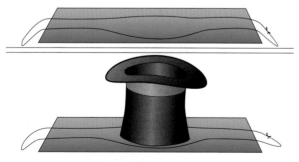

Couper 1,50 m de fil invisible et le nouer pour faire une grande boucle. Poser la boucle sur une tablette ou sur un tabouret haut, le fil doit pendre de part et d'autre. Puis poser le chapeau au milieu de la boucle.

Présentation du tour

1 Faire examiner le foulard par un spectateur. Puis le poser sur le chapeau en laissant 2 coins pendre le long de la boucle invisible.

2 Saisir en même temps les extrémités de la boucle et les coins du foulard, puis soulever le tout. Le chapeau décolle mystérieusement de la table !

Le verre transpercé

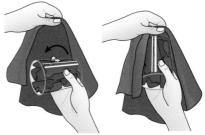

2 Recouvrir le verre avec le grand foulard. Pendant cette manœuvre, retourner le verre vers le bas en se cachant derrière le foulard. Le public ne doit s'apercevoir de rien. Puis placer un élastique autour.

3 Plonger sa main pour sortir le petit foulard du verre. Le public croira que le foulard a transpercé le fond du verre !

Matériel

un verre,
un élastique,
un petit foulard,
un grand foulard opaque de couleur différente.

Présentation du tour

1 Faire examiner le verre par un spectateur et y enfoncer le petit foulard.

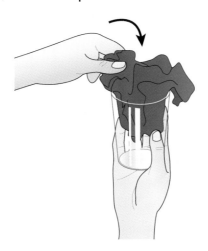

4 En enlevant le grand foulard, remettre discrètement le verre dans sa position de départ. Le public n'y aura vu que du feu.

143

Le tube à échanges

Matériel

2 grands tubes vides en plastique avec leurs bouchons (type vitamines), colle, papier adhésif, papier de couleur, ciseaux, crayon, règle, 2 foulards de couleurs différentes.

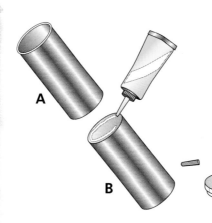

A

B

Préparation du tour

1 Coller les fonds des tubes l'un contre l'autre. On obtient ainsi un tube avec 2 compartiments (A et B).

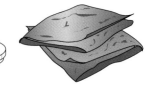

2 Consolider l'ensemble en enroulant un morceau de papier adhésif au milieu du tube.

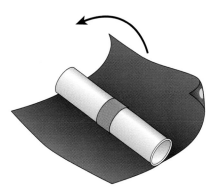

3 Puis découper une bande de papier de couleur et recouvrir le tout.

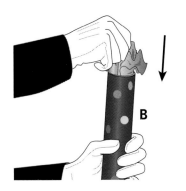

4 Placer un des foulards dans le compartiment B. Puis refermer les tubes avec les bouchons.

Présentation du tour

1 Montrer le deuxième foulard au public. Ouvrir le compartiment A du tube et placer le foulard à l'intérieur.

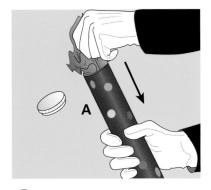

2 Se retourner pour prendre la baguette magique et en profiter pour retourner le tube de haut en bas.

3 Ouvrir le tube (il s'agit maintenant du compartiment B) et sortir le foulard : celui-ci a changé de couleur !

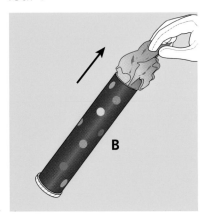

En suivant toujours le même procédé (placer un objet dans le compartiment B avant la présentation du tour) on peut réaliser toutes sortes de tours :

Couper une cordelette en petits morceaux et la ressortir réparée...

Transformer un foulard en pluie de confettis...

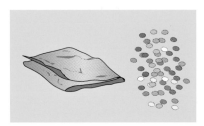

Mettre 3 anneaux de rubans et les ressortir liés en chaîne les uns aux autres... ou prendre 3 foulards et les ressortir noués...

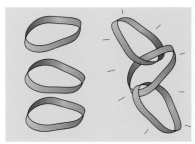

Déchirer une feuille de papier et la ressortir réparée.

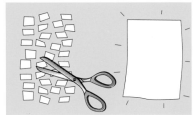

L'illusion du crayon

Matériel

un stylo à bille avec son capuchon, épingle à nourrice, cutter, fil élastique.

Préparation du tour

1 Demander à un adulte de couper la pointe du capuchon à l'aide d'un cutter. Cela doit faire un petit trou.

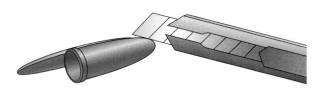

2 Poser sa veste sur la table et mesurer la longueur entre l'emmanchure et le bas de la manche. Couper du fil élastique à cette longueur.

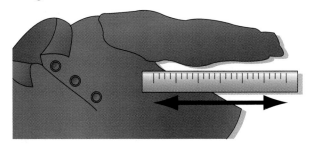

3 Passer une extrémité du fil dans le trou du capuchon. Faire un nœud suffisamment gros pour qu'il ne puisse pas sortir du capuchon. Nouer l'autre extrémité sur l'épingle à nourrice.

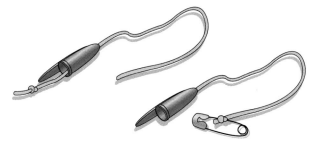

4 Fixer l'épingle en bas de l'emmanchure de sa veste. Revoir la longueur du fil au besoin : le capuchon doit arriver nettement au-dessus du bas de la manche.

Présentation du tour

1 Tenir le capuchon en main gauche entre le pouce et l'index et le présenter au public. Le fil est ainsi tendu dans la manche. Placer la paume de la main vers soi pour cacher le fil. Tenir le stylo de la main droite.

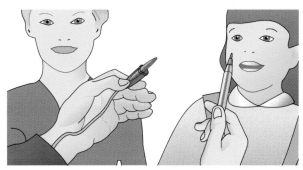

2 Venir introduire le stylo dans le capuchon. Puis écarter les doigts de la main gauche, toujours paume vers soi. Cela va détendre l'élastique et faire rentrer le tout dans la manche. Le stylo a disparu sous les yeux du public !

Il est préférable d'être bras nus sous sa veste pour réaliser ce tour. Une manche de chemise pourrait empêcher le stylo de rentrer facilement.

Évaporé

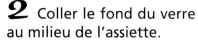

2 Coller le fond du verre au milieu de l'assiette.

3 Sur le carton, tracer un cercle de même diamètre que le haut du verre. Découper.

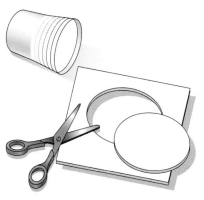

Matériel

verre en plastique transparent, colle, assiette en carton, carton, 2 petits foulards identiques, fil à coudre assorti, compas, ciseaux, peinture blanche acrylique, pinceau.

Préparation du tour

1 Peindre la moitié du verre à l'intérieur en blanc. Laisser sécher.

4 Placer un foulard à plat sur la table. Coller le cercle en carton au milieu.

5 Puis recouvrir avec l'autre foulard et demander à un adulte de coudre tout autour.

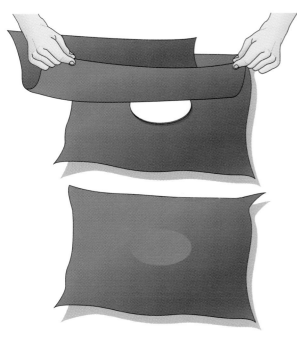

Présentation du tour

1 Montrer le verre sur l'assiette en annonçant que c'est un verre de lait. Puis recouvrir le verre avec le foulard en posant discrètement le rond de carton exactement sur l'ouverture du verre.

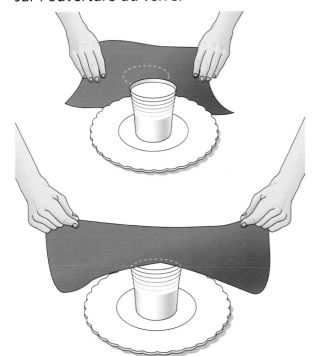

2 Saisir l'assiette en main gauche et montrer le tout.

3 Saisir le rond de carton à l'aide de la main droite et soulever le foulard. Tourner l'assiette vers soi en même temps pour cacher le verre. Le public croit que le verre a été soulevé avec le foulard.

4 Se débarrasser de l'assiette en la posant derrière un rideau ou derrière un paravent.

5 Jeter le foulard en l'air : le verre a disparu !

Petit devient grand

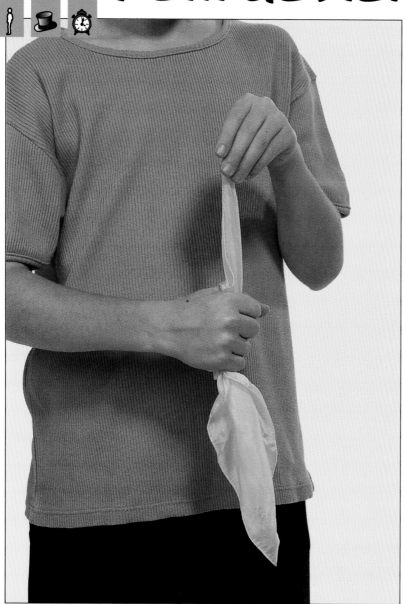

1 Tirer doucement la pointe supérieure du foulard vers le haut

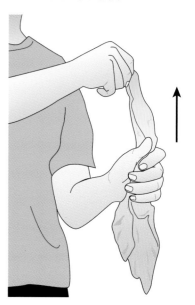

2 Puis tirer doucement la pointe inférieure vers le bas. Le foulard s'agrandit comme par magie !

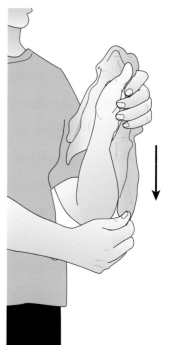

Matériel

un grand foulard (en soie).

Préparation du tour

Plier le grand foulard sur lui-même, comme sur le schéma. Cacher la pliure dans la main.

En apesanteur

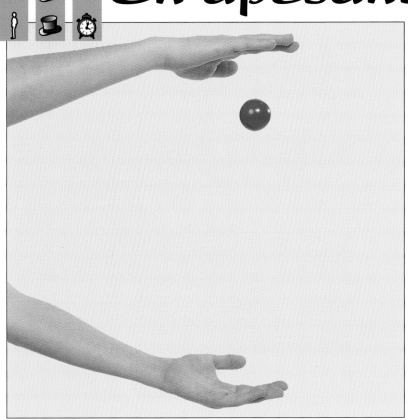

Matériel

balle de ping-pong,
fil à coudre
invisible,
aiguille à coudre.

Préparation du tour

1 Enfiler 40 cm de fil invisible dans l'aiguille et transpercer la balle de part en part. Faire un nœud à une extrémité pour bloquer la balle. Nouer l'autre extrémité au majeur de la main gauche.

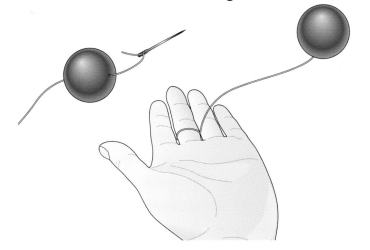

Présentation du tour

Il est préférable de réaliser ce tour dans une pièce très peu éclairée.

1 Tenir la balle dans la main gauche (elle y est accrochée par le fil). Poser la main droite dessus en glissant discrètement le majeur sous le fil.

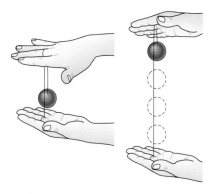

2 Lever la main droite vers le haut, cela va tendre le fil invisible et soulever la balle de la main gauche. Continuer en baissant et en levant la main droite pour faire bouger la balle de bas en haut.

D'où vient-il ?

Matériel

un foulard,
balle de ping-pong,
papier de verre,
baguette magique,
chapeau.

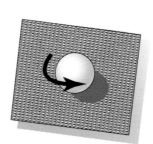

Préparation du tour

1 Frotter la balle sur le papier de verre jusqu'à obtenir un trou de 2 cm de diamètre. Rentrer le foulard dans le trou de la balle.

2 Plier le bras gauche et glisser la balle dans la manche gauche de sa veste.

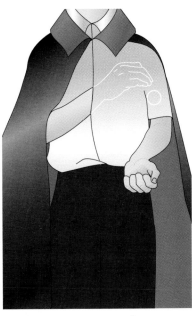

Présentation du tour

1 Montrer sa main gauche vide. Tenir la baguette magique en main droite. Attention à bien garder le bras gauche plié afin de ne pas faire tomber la balle !

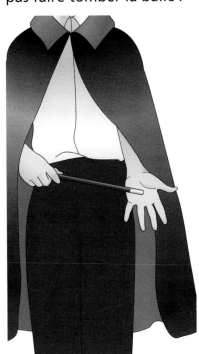

2 Lever la main droite et demander à un spectateur de prendre la baguette. Pendant ce temps, tendre le bras gauche le long du corps. Récupérer la balle en main gauche et fermer le poing.

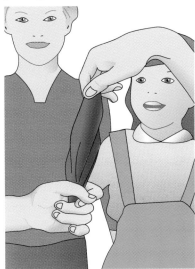

3 Demander à un spectateur de donner un coup de baguette magique sur le poing gauche. Avec la main droite, sortir le foulard du trou, poing gauche toujours fermé afin que le public ne voit pas la balle. D'où vient ce foulard ? C'est magique !

4 Déposer le foulard dans le chapeau et en profiter pour y faire glisser la balle de ping-pong.

Variante

Après l'apparition du foulard, on peut demander à un spectateur de donner un deuxième coup de baguette magique sur la main gauche et faire apparaître la balle. Dans ce cas, attention à bien cacher le trou avec le pouce.

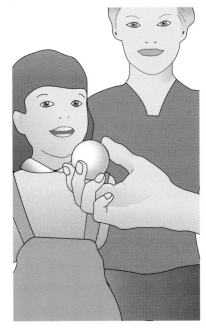

Prisonnier

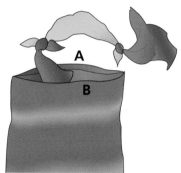

2 Placer le tout dans la partie B du sac truqué.

3 Mettre des confettis dans le compartiment B du tube à échanges.

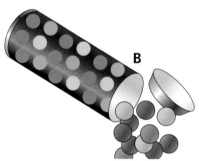

Présentation du tour

Pour l'utilisation du sac et du tube, se reporter aux explications des pages 126 et 144.

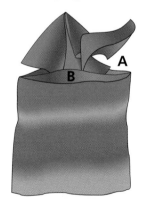

Matériel

le sac truqué (voir page 126), foulards (2 jaunes et 4 bleus), confettis, le tube à échanges (voir page 144).

Préparation du tour

1 Nouer un foulard jaune au milieu des deux bleus.

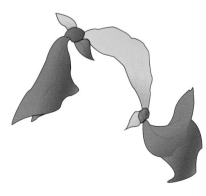

1 Prendre les 2 autres foulards bleus posés sur la table et les mettre dans la partie A du sac.

2 Puis prendre le foulard jaune restant et le mettre dans le compartiment A du tube à échanges. Le faire disparaître et le transformer en confettis (p. 144).

3 Reprendre le sac truqué, serrer le tissu central contre la paroi A. Demander à un spectateur de prendre ce qu'il y a dans le sac.

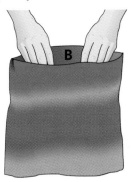

4 Le spectateur plongera la main dans la partie B et en ressortira les 3 foulards attachés ! Le foulard jaune réapparaît emprisonné entre les bleus !

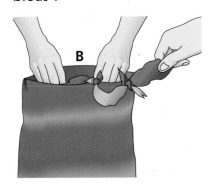

Multicolore

Matériel

le sac truqué (voir page 126), foulards (2 jaunes, 2 bleus et 4 de couleurs différentes), baguette magique.

Préparation du tour

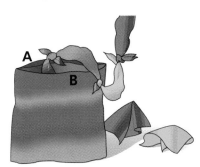

Nouer un foulard jaune à un bleu et les autres à la suite. Mettre l'ensemble dans la partie B du sac. Poser les autres foulards jaune et bleu sur la table.

Présentation du tour

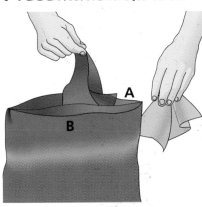

1 Prendre le foulard jaune et le bleu posés sur la table et les mettre dans le compartiment A du sac.

2 Annoncer au public que ces 2 foulards vont se nouer entre eux, et donner un coup de baguette magique sur le sac.

3 Plaquer le tissu central du sac contre la paroi A et sortir doucement le contenu de la partie B.

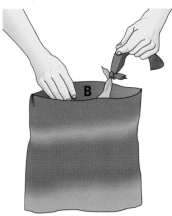

4 Le public verra en effet le foulard jaune noué au bleu, mais il sera encore plus étonné de voir tous les autres foulards !

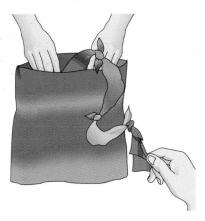

Double-fond

Matériel

chapeau de magicien, papier cartonné noir, ciseaux, compas, scotch invisible, règle, crayon, foulards, baguette magique.

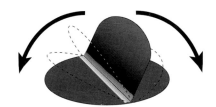

Préparation du tour

1 Mesurer le diamètre du fond du chapeau. Sur le papier noir, tracer un cercle au diamètre inférieur de 5 mm. Le découper.

2 Poser ce cercle sur le reste du papier noir et tracer son contour au crayon. Puis tracer des lignes droites à partir du milieu du cercle pour obtenir la forme du volet. La hauteur du volet doit être bien inférieure à celle du chapeau. Découper.

3 Scotcher le volet au milieu du cercle. Il doit pouvoir basculer des 2 côtés.

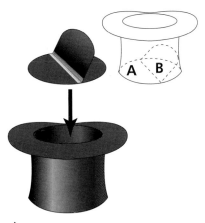

4 Glisser l'ensemble à l'intérieur du chapeau qui comporte maintenant un double-fond avec 2 compartiments.

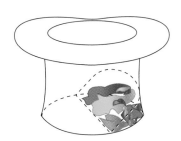

5 Nouer les foulards les uns aux autres et les placer dans un des compartiments. Fermer le volet pour cacher les foulards.

Présentation du tour

1 Montrer très rapidement l'intérieur du chapeau au public en maintenant le volet fermé avec les doigts. Ne pas annoncer que le chapeau est vide afin de ne pas éveiller les soupçons.

2 Poser le chapeau sur la table et donner un coup de baguette magique dessus. Faire discrètement basculer le volet et sortir les foulards. Le chapeau n'était pas vide !

On peut réaliser le même tour en cachant un foulard rouge et en faisant apparaître un foulard bleu.

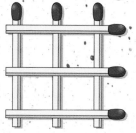

Au cours d'un spectacle, la tension monte vite… Rien de tel qu'un défi pour détendre les spectateurs. Pour les faire participer et pour les amuser, voici des énigmes aussi difficiles à résoudre que simples à réaliser. Le matériel ? Des allumettes, un ballon de baudruche, des verres et du papier !

Pour peu que l'on sache attiser la curiosité des spectateurs, un défi est aussi captivant qu'un tour de magie. Pour être magicien, il faut savoir jouer… Alors un peu de mise en scène, quelques effets de baguette magique et le pari devient spectaculaire. (À utiliser avec modération au cours d'un spectacle.)

Défis magiques

Jeux d'allumettes

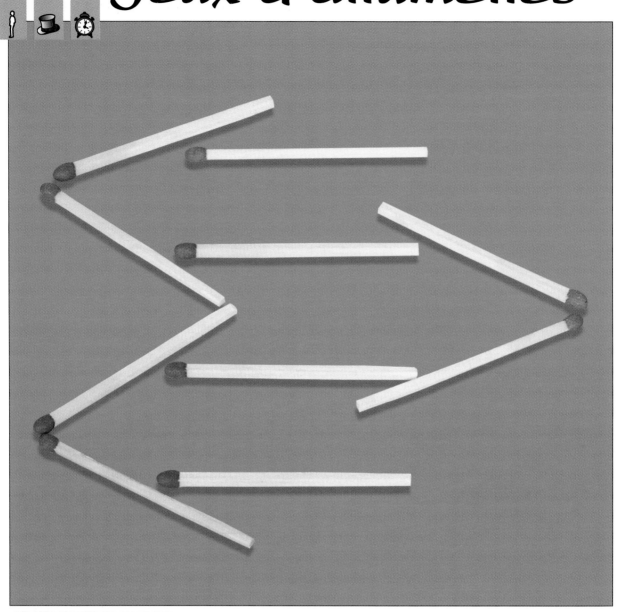

Matériel

une boîte d'allumettes.

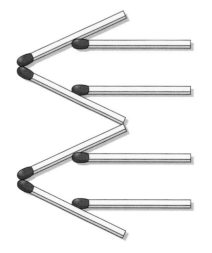

Défi n° 1

Sortir 10 allumettes de la boîte. Représenter 2 flèches en disposant 8 allumettes comme sur le schéma.

Donner les 2 allumettes restantes à un spectateur et lui demander de faire une troisième flèche à l'aide de ces 2 allumettes.

Solution

Il suffit de disposer les 2 allumettes comme sur le schéma pour obtenir une troisième flèche.

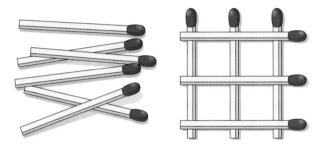

Défi n° 2

Comment représenter 5 carrés avec seulement 6 allumettes ?

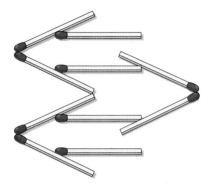

Solution

Il suffit de les disposer comme sur le schéma. On obtient 4 petits carrés et un grand !

Défi n° 3

Comment faire 10 avec seulement 2 allumettes ?

Solution

En représentant 10 en chiffre romain !

Défi n° 4

Présenter une boîte d'allumettes au public. La tenir entre le pouce et l'index à environ 15 cm au-dessus de la table.
Comment procéder pour que la boîte tombe bien verticalement sur la table lorsqu'on la lâche ?

Solution

Il suffit d'entrouvrir un peu le tiroir, de le tenir entre le pouce et l'index et de lâcher la boîte. Cela amortit le choc et permet à la boîte de se maintenir verticalement.

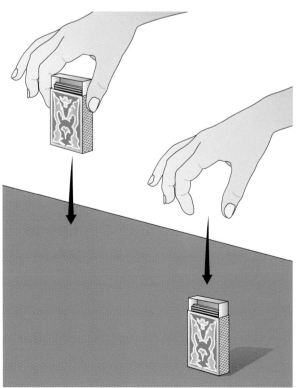

Bols d'air

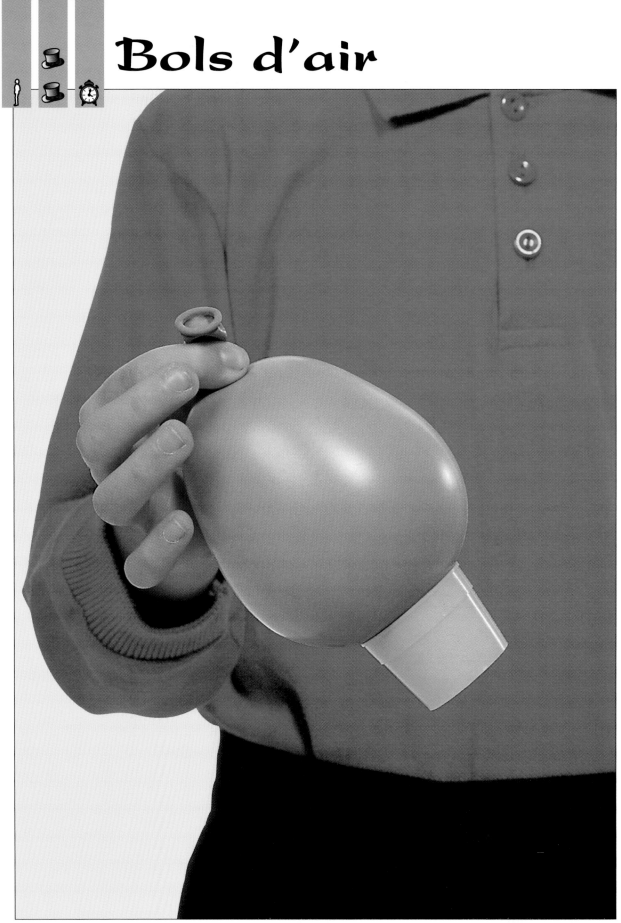

Matériel

2 gobelets, ballon de baudruche, balle de ping-pong.

Défi n° 1

Tenir un gobelet dans chaque main. Déposer une balle de ping-pong dans celui de gauche.

Comment faire passer la balle dans le gobelet de droite sans la toucher et sans bouger les mains ?

Solution

Souffler fortement d'un coup sec entre la balle et le gobelet. La balle va sauter dans le gobelet de droite !

Défi n° 2

Comment soulever le gobelet de la table avec un simple ballon de baudruche ?

Solution

Placer le ballon dans le gobelet et le gonfler. Il suffit ensuite de soulever le ballon pour soulever le gobelet !

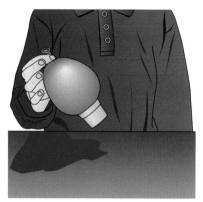

Jeux d'eau

Matériel

un verre d'eau, serviette en papier, sel, poivre.

Poser un verre d'eau à proximité de l'endroit où se déroulera le tour.

Défi

Verser du sel et du poivre sur la serviette en papier. Demander à un spectateur de bien mélanger l'ensemble.

Annoncer qu'il est possible de séparer le sel du poivre en une seconde !

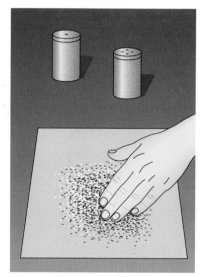

Solution

Prendre le verre d'eau et y vider le mélange de sel et de poivre. Le sel, plus lourd, tombera au fond du verre alors que le poivre restera au-dessus.

Tout simple !

Matériel

5 verres,
jus de fruit.

Préparation du tour

Aligner les 5 verres sur la table et remplir les 3 du milieu avec du jus de fruit.

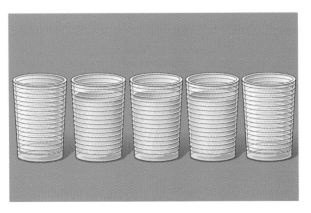

Défi

Comment obtenir en alternance un verre vide, un verre plein, un verre vide, etc. en ne touchant qu'un seul verre ?

Solution

Prendre le verre du milieu, le boire et le remettre en place ! Le pari est réussi et le public rira bien !

La valse des verres

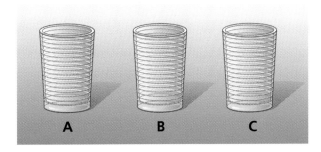

Matériel

3 verres.

1 Placer les verres sur la table. Appelons-les A, B et C. Placer A et C, ouvertures vers le bas et B, ouverture vers le haut.

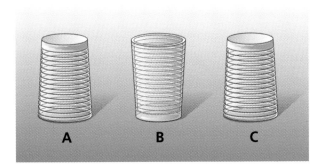

2 Retourner en même temps A et B.

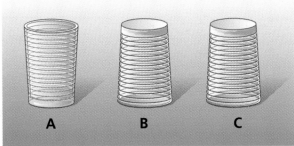

3 Puis retourner en même temps A et C.

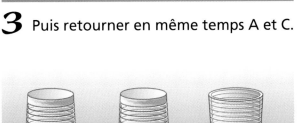

4 Retourner enfin A et B : les 3 verres ont les ouvertures vers le haut. Ces mouvements doivent être réalisés rapidement devant les spectateurs.

Défi

Replacer les verres comme sur le schéma et demander à un spectateur de mettre les 3 ouvertures vers le haut en accomplissant les mêmes gestes. Celui-ci n'y parviendra pas !

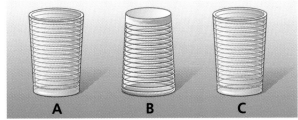

Solution

En réalité, la disposition des verres n'est pas la même au départ, elle est inversée. Le spectateur a commencé le défi avec A et C, ouvertures en haut et B, ouverture en bas, sans s'en apercevoir. Il ne pourra obtenir que des ouvertures vers le bas ou 2 vers le haut et une en bas !

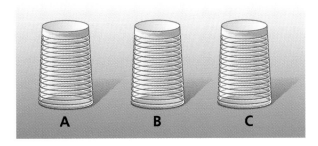

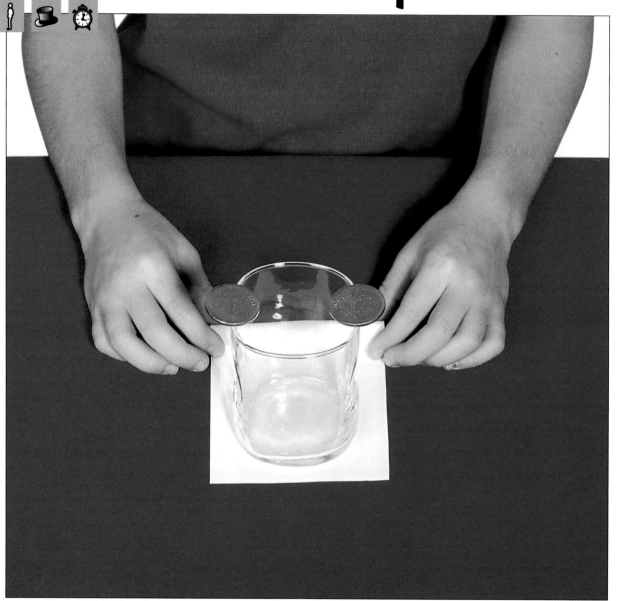

Matériel

un verre,
2 pièces de
monnaie,
un rectangle
de papier,
une carte à jouer.

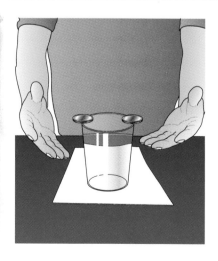

Défi n° 1

Placer le rectangle de papier sur la table. Puis placer le verre par-dessus et poser les deux pièces en équilibre sur le bord du verre.

Comment retirer le morceau de papier sans faire tomber les pièces ?

Solution

Rouler le morceau de papier sur lui-même très doucement jusqu'au verre. Puis continuer à rouler doucement : le verre glissera en dehors du papier !

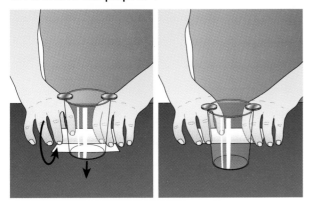

Défi n° 2

Placer la carte à jouer sur le verre et poser une pièce par-dessus.

Comment faire tomber la pièce dans le verre sans prendre la carte à jouer ?

Solution

Donner une pichenette sur la carte pour la retirer : la pièce va tomber dans le verre.

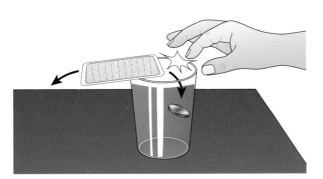

Défi n° 3

Poser une carte à jouer sur l'index gauche. Puis poser une pièce sur la carte.

Comment retirer la carte sans la prendre en laissant la pièce sur l'index ?

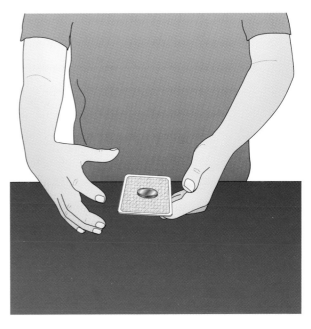

Solution

Donner une pichenette sur la carte pour la retirer : la pièce restera sur l'index.

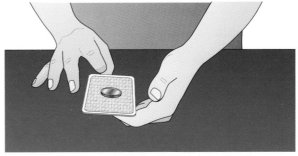

Ne pas réaliser les défis n° 2 et n° 3 devant le même public !

C'est du solide !

Matériel

verres,
feuilles de papier,
scotch.

Défi n° 1

Poser 2 verres sur la table à environ 12 cm l'un de l'autre. Puis poser une feuille de papier dessus. Comment poser un verre sur la feuille sans que celle-ci se torde ?

Solution

Plier la feuille de papier en accordéon dans le sens de la longueur. La poser sur les 2 verres et poser le troisième verre dessus.

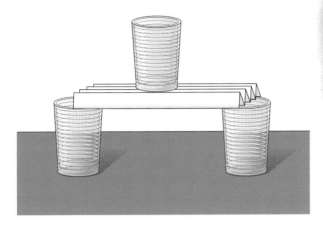

Défi n° 2

Comment faire tenir un verre en équilibre sur une feuille de papier posée verticalement sur la table sans tenir quoi que ce soit ?

Solution

Faire un tube en roulant la feuille, scotcher. Puis poser doucement le verre par-dessus.

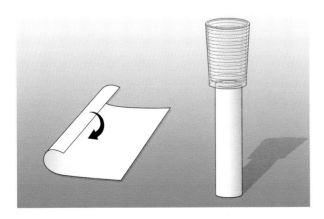

Patatras !

Matériel

une pièce de monnaie,
un verre,
une carte à jouer,
un petit tube de
10 cm de longueur.

Défi

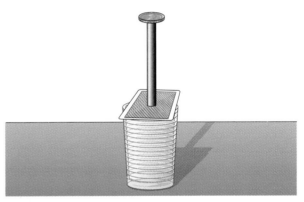

Placer la carte sur le verre, poser le tube verticalement au-dessus et enfin la pièce de monnaie.

Comment faire tomber la pièce dans le verre sans toucher à quoi que ce soit ?

Solution

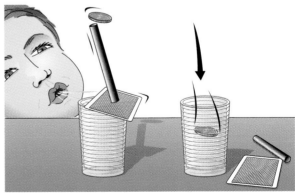

Se baisser et souffler fortement sous la carte. L'ensemble s'effondre, laissant la pièce tomber dans le verre.

Les grandes illusions sont les tours de magie préférés du public. Quoi de plus impressionnant que de voir disparaître quelqu'un sous ses yeux ? La préparation des grandes illusions est souvent longue et complexe… Des versions simplifiées existent afin d'émerveiller le public avec un minimum de moyens. En voici quelques exemples faciles à réaliser avec un drap, des cartons d'emballage et l'aide de quelques complices ! Grâce à une bonne mise en scène et de la lumière tamisée, le succès est garanti !

GRANDES ILLUSIONS

Échange standard

Matériel

un grand carton d'emballage (pouvant contenir une personne agenouillée), un grand drap, cutter.

Préparation du tour

1 Demander à un adulte de découper une ouverture secrète sur un côté du carton. Une personne doit pouvoir passer à travers.

2 Installer le carton sur la scène où se déroulera le tour, l'ouverture cachée au public. Installer un partenaire dans le carton et refermer le dessus sans le scotcher.

Présentation du tour

1 Demander à deux autres partenaires de tendre le drap. Un des partenaires doit cacher environ la moitié du carton au public. L'autre moitié, restée visible, montrera au public que le carton ne s'ouvrira pas pendant la durée du tour.

2 Passer derrière le drap. Aussitôt, le partenaire caché dans le carton sort par l'ouverture secrète et vient prendre la place du magicien.

3 Le magicien prend immédiatement la place du partenaire dans le carton. Tout cela doit être réalisé très rapidement.

4 Les deux partenaires recouvrent la personne avec le drap. Le public est persuadé qu'il s'agit du magicien !

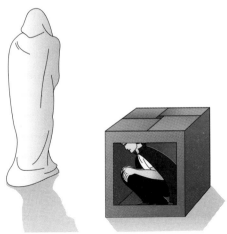

5 Les partenaires font compter le public jusqu'à 3 puis retirent brusquement le drap : une autre personne apparaît !

6 Sortir à ce moment de la boîte sous les applaudissements du public.

Traversée

Matériel

2 cordes blanches
d'environ 2 m de long,
fil à coudre blanc, ciseaux.

Préparation du tour

1 Plier les 2 cordes en deux.

2 Nouer ensemble leur milieu à l'aide du fil blanc. Appelons les 4 extrémités A, B, C et D.

3 Tenir les cordes en main gauche. Fermer la main sur le lien secret.

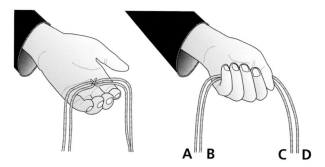

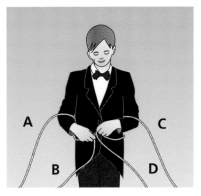

2 Saisir les extrémités B et D et les nouer ensemble autour de sa taille.

3 Donner les extrémités A et D à un spectateur et les extrémités B et C à un autre spectateur.

4 Demander aux spectateurs de tirer sur les cordes d'un coup sec. Les cordes se retrouvent devant : elles semblent avoir traversé le corps !

Présentation du tour

1 Tenir les cordes comme expliqué précédemment pour les montrer au public.

Puis passer les cordes derrière le dos sans montrer la ligature.

Coup de sifflet !

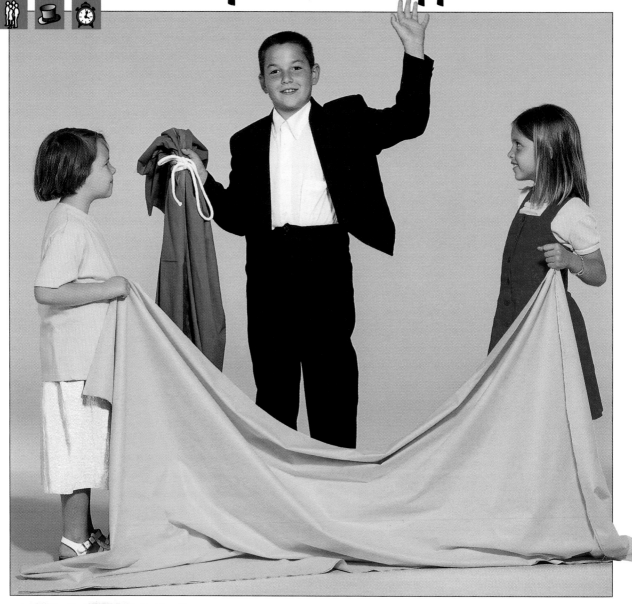

Matériel

2 grands rectangles
de tissu d'environ
1,50 x 1,40 m,
fil à coudre,
aiguille,
corde,
un grand drap,
un sifflet.

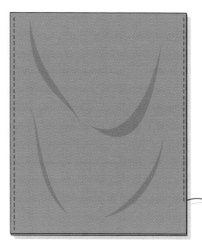

Préparation du tour

1 Demander à un adulte
de coudre les 2 rectangles
ensemble sur leur longueur
afin d'obtenir un sac sans
fond. Puis mettre le sifflet
dans sa poche.

2 Demander à un partenaire de se cacher dans la pièce voisine de celle où se déroulera le tour (à défaut de pièce, le partenaire peut se cacher derrière un rideau).

Présentation du tour

1 S'installer dans le sac et demander à 2 autres partenaires de fermer le haut à l'aide d'une corde. Le sac n'ayant pas de fond, attention à ne pas faire dépasser ses pieds.

2 Les 2 partenaires tendent le drap pour cacher le sac au public. En profiter pour sortir immédiatement par le bas du sac et pour filer dans la pièce voisine.
Pendant ce temps, le partenaire caché prend la place dans le sac. Tout cela doit se faire très vite.

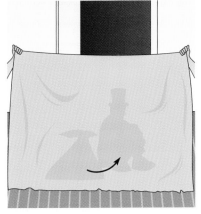

3 Les 2 partenaires baissent alors le drap et annoncent que le tour n'a pas marché. Le magicien aurait dû s'échapper en trois secondes, mais il est encore dans le sac. Ils ouvrent le sac : incroyable ! Ce n'est plus le magicien !

4 Pendant ce temps, rejoindre discrètement le public par d'autres pièces et donner un coup de sifflet. Le public sera bien surpris de voir réapparaître le magicien !

Variante

Si la disposition des pièces n'est pas idéale pour réaliser ce tour, il est possible de procéder différemment.

1 Le magicien se laisse enfermer dans le sac comme précédemment et en sort par le bas lorsque les 2 partenaires tendent le drap.

2 Le drap se baisse. Le magicien a réussi à s'échapper du sac malgré la corde nouée !

Matériel

2 grands cartons d'emballage carrés pouvant contenir une personne agenouillée, baguette magique, peinture noire, pinceau, scotch, cutter.

Préparation du tour

1 Demander à un adulte de découper le fond et le dessus des 2 cartons à l'aide d'un cutter.

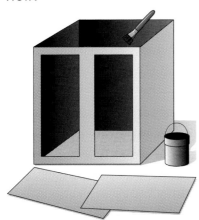

2 Lui demander ensuite de découper 2 ouvertures sur une des faces d'un carton. Peindre l'intérieur en noir.

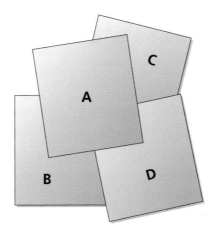

3 Puis découper les 4 faces de l'autre carton. Appelons-les A, B, C et D.

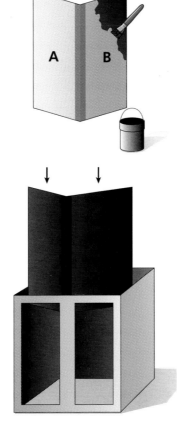

4 Coller A et B en angle avec du scotch et peindre en noir. Glisser l'ensemble dans le carton de sorte que l'angle soit caché par la bande du milieu. Le carton comporte ainsi un compartiment secret.

5 Puis, à l'aide de scotch, coller les morceaux C et D pour faire des portes. Décorer le carton (facultatif).

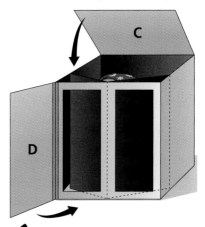

6 Faire entrer un partenaire dans le compartiment secret puis refermer les portes.

Présentation du tour

Ouvrir la porte sur le devant du carton et montrer que l'intérieur est vide (le public ne voit que du noir). Refermer et donner un coup de baguette magique. Le complice sort alors de la boîte en soulevant la porte du dessus !

Surprise magique

Matériel

2 grands cartons d'emballage pouvant contenir une personne agenouillée (un des deux doit être un peu plus petit), baguette magique, cutter.

Préparation du tour

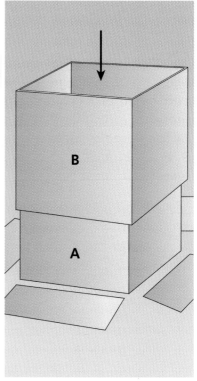

1 Demander à un adulte de découper tous les rabats des cartons au cutter afin d'obtenir 2 cheminées pouvant s'imbriquer. Appelons le petit carton A et le grand B.

2 Demander à un adulte de découper une ouverture secrète sur le côté du carton A. L'ouverture doit être la plus basse possible pour permettre à quelqu'un de s'y glisser.

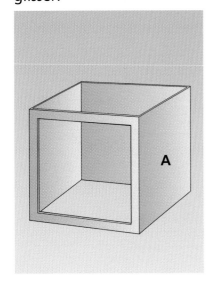

3 Demander à un complice de rester agenouillé derrière le carton B qui sera présenté au public. Placer le carton A déplié sur le carton B en cachant l'ouverture secrète.

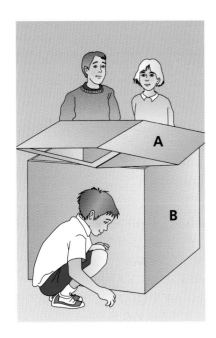

Présentation du tour

1 Déplier le carton A et le placer à côté du B (ouverture secrète de son côté).

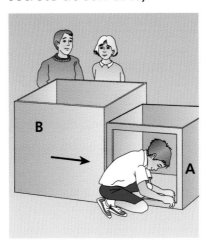

2 Le complice entre discrètement dans le carton A.

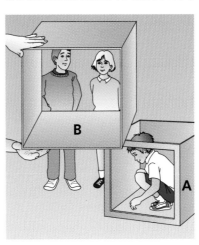

3 Montrer au public le carton B vide.

4 Glisser ensuite le carton B sur le A.

5 Donner un coup de baguette magique : le complice apparaît !

Patrons

Tour *Maxi 10* page 42

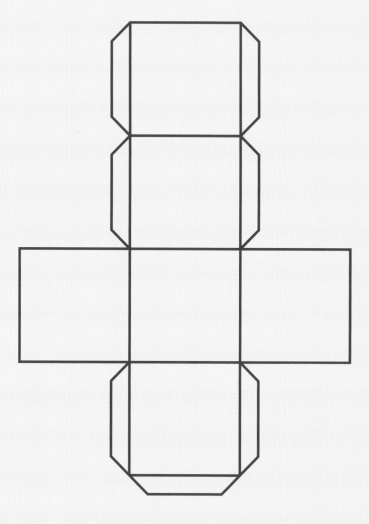

Tour *Passage magique* pages 74-75

Tour *Passage magique* pages 74-75

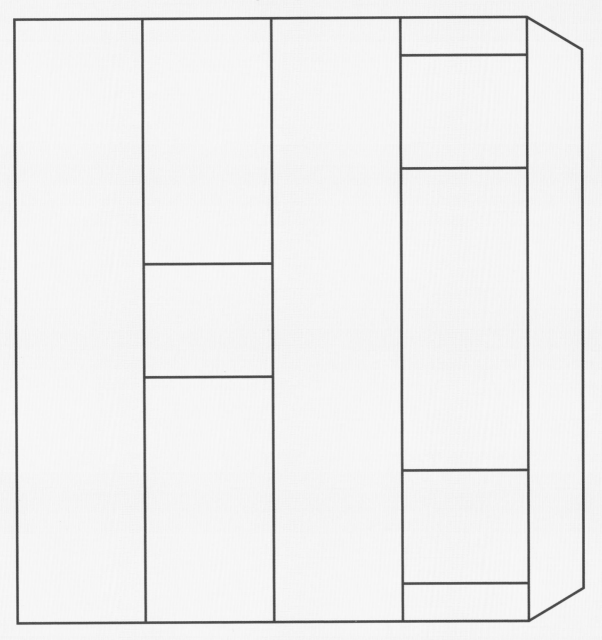

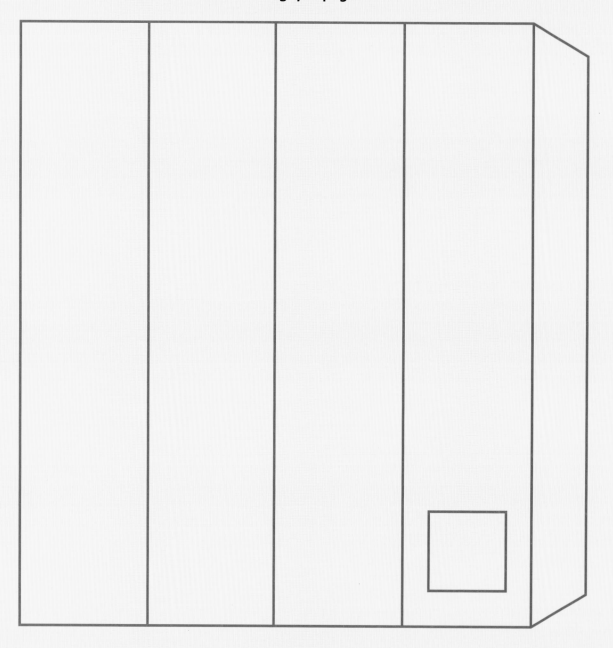

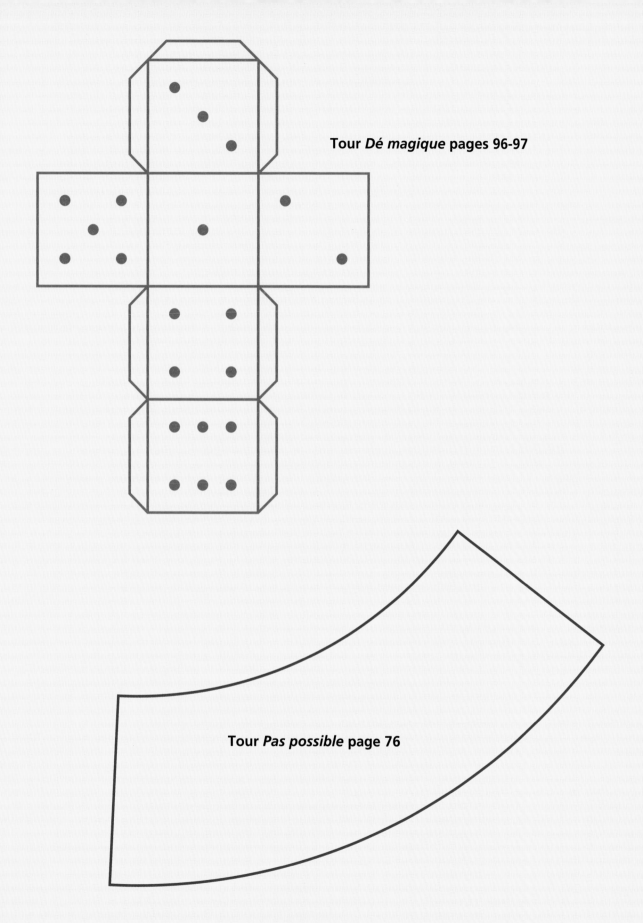

Tour *Dé magique* pages 96-97

Tour *Pas possible* page 76

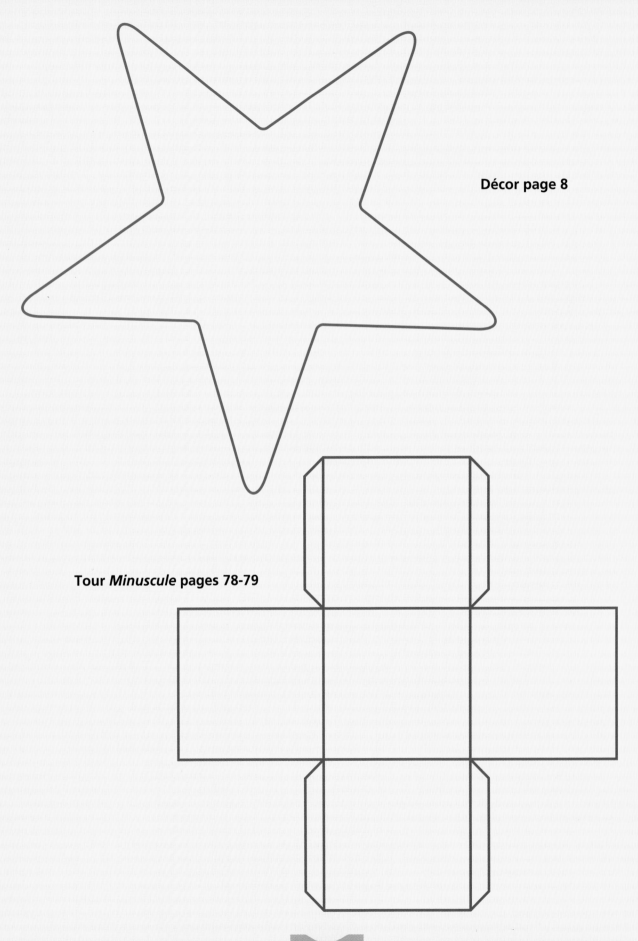

Décor page 8

Tour *Minuscule* pages 78-79

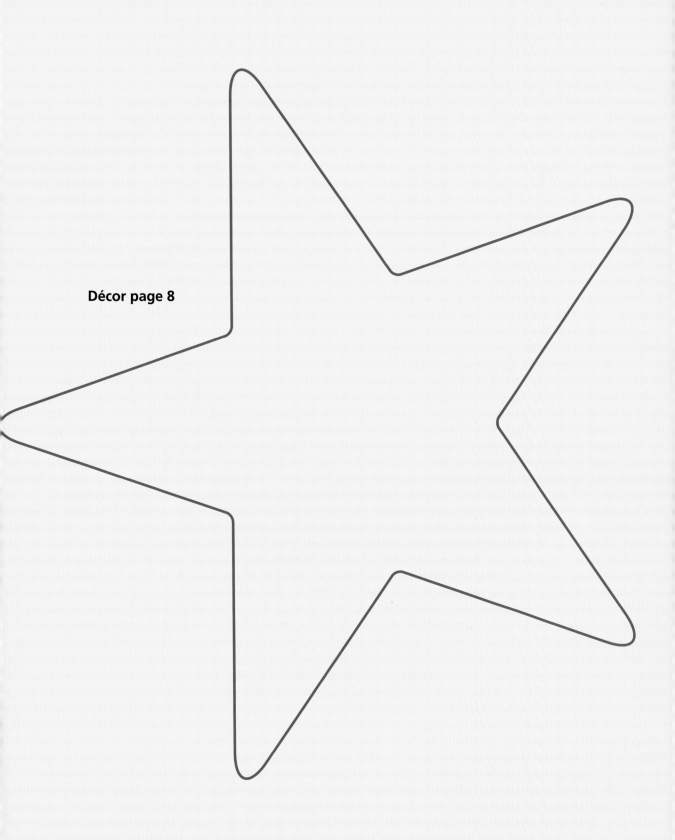

Décor page 8

Tour *Les foulards*
pages 116-117
Patron à agrandir 4 fois

x 4

N°2

N°3

x 4

x 4

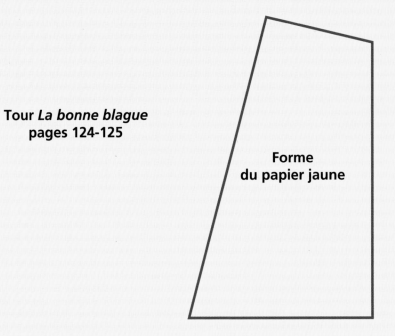

**Tour *La bonne blague*
pages 124-125**

**Forme
du papier jaune**

x 3

**Tour *Transformation*
pages 122-123
Patron à agrandir 3 fois**